A BOOK OF LATIN TRANSLATION

A BOOK OF LATIN TRANSLATION

COMPILED BY

L. W. P. LEWIS, M.A.

Late Senior Classical Master in
the Bradford Grammar School

AND

L. M. STYLER, M.A.

Senior Classical Master in
St. Edward's School, Oxford

WILLIAM HEINEMANN LTD.
99 GREAT RUSSELL STREET
LONDON, W.C.1

First published, January, 1937

PREFACE

THE authors, not without some hesitation, offer yet one more book of Latin Translation. Their only justification is that they have long felt that translation ought to begin much earlier than is usually considered possible. The difficulty is to find pieces *of genuine Latin* easy enough to put before pupils in the earliest stages. There is, however, a large number of sentences quite suitable for the desired purpose, containing precepts and pithy sayings put in the simplest language and often not uninteresting in themselves.

Part I of this book provides a large collection of such sentences, which it is hoped will be found useful for quite elementary practice in picking out subject, verb and object, in observing concords and in rendering verb forms correctly, etc. Taken *viva voce* several at a time they should, as soon as ever a modicum of grammar has been learnt by the class, furnish the teacher with something more refreshing than the wearisome material in the usual exercise book, which has to do duty in the translation lesson. It is better for the First-Year student to be translating even *Non est auxilium flere*, and before long *Scribentem iuvat ipse labor minuitque laborem*, and so forth than *Regina rosam puellae dat* or its counterpart; and some of our sentences may, with luck, stick in the heads of pupils with a natural sense of rhythm. Thereafter it is hoped gradual progress through Parts II, III and IV will give the necessary practice in a Four Years' course up to School Certificate and Matriculation. No attempt has been made rigidly to adapt the four parts to an

imagined scheme of progress year by year.   An occasional
Cum or *Ut* in Part I will not cause real difficulty, and
Part IV contains pieces suitable for the first year of an
Advanced Course.

To meet the possible requirements and methods of
some teachers, a complete vocabulary to Part I is included.
Special vocabularies have been supplied, at the cost of
some repetition, for the pieces in Parts II and III to
obviate the waste of a pupil's time in word hunting,
when he comes to tackle continuous passages.   It so
frequently happens that all his preparation amounts to is
the making of a list of words, often with inappropriate
meanings.   Here a pupil's effort can be concentrated on
extracting the sense.   Only a little assistance by way of
footnotes has been considered advisable in Part IV.

L. W. P. L.

L. M. S.

CONTENTS

A BOOK OF LATIN TRANSLATION

PART I

1. Naturā gens Gallica bellicosa est.
2. Neccessitudo etiam timidos fortes facit.
3. Fortes fortuna adiuvat.
4. Non est auxilium flere.
5. Omne solum forti patria est.
6. Leve fit quod bene fertur onus.
7. Bis dat qui cito dat.
8. Possunt quia posse videntur.
9. Non habet eventus sordida praeda bonos.

Two heads are better than one

10. Non caret effectu quod voluere duo.

11. Aequo animo poenam qui meruere ferunt.
12. Infirmitatis humanae tardiora sunt remedia quam mala.
13. Est mihi pro facto saepe quod esse potest.
    Pro facto, as good as done.

14. Dux bene pugnantes incitat ore viros.

The labour we delight in physics pain

15. Scribentem iuvat ipse labor minuitque laborem,
    cumque suo crescens pectore fervet opus.

16. Oderunt hilarem tristes, tristesque iocosi.
17. Agricola serit arbores quae alteri saeculo prosint.

Habit is second nature

18. Consuetudo magna vis est.
19. Difficile est mutare animi habitum semel constitutum.

Time flies

20. Veniet tempus, et quidem celeriter, sive retractabis sive properabis : volat enim aetas.
21. Labitur occulte fallitque volatilis aetas et nihil est annis velocius.
22. Eheu ! fugaces labuntur anni.

23. Suavis laborum est praeteritorum memoria.
24. Forsan et haec olim meminisse iuvabit.

Tastes differ

25. Non omnes eadem mirantur amantque.

' Tis only noble to be good '

26. Nobilitas sola est atque unica virtus.
27. Semita certe tranquillae per virtutem patet unica vitae.
28. Divitiarum et formae gloria fluxa et fragilis est, virtus clara aeternaque habetur.
29. Nihil est, mihi crede, virtute formosius, nihil pulchrius, nihil amabilius.

Virtue its own reward

30. Ipsa quidem virtus sibimet pulcherrima merces.

31. Honor alit artes omnesque incenduntur ad studia gloriā.
32. Nulla est excusatio peccati, si amici causā peccaveris.

33. Nervi belli infinita pecunia.
34. Omne bellum sumitur facile, ceterum aegerrime desinit ; non in eiusdem potestate initium eius et finis est ; incipere cuivis, etiam ignavo, licet ; deponitur, cum victores volunt.
35. Nullum bellum suscipitur a civitate optimā nisi aut pro fide aut pro salute.
36. Nemo nisi victor pace bellum mutavit.

37. Insperata accidunt magis saepe quam quae speres.

38. Cui peccare licet, peccat minus.
39. Nitimur in vetitum semper cupimusque negata.

Choose your school carefully

40. Ut fugiendae sunt magnae scholae, non tamen hoc eo
valet ut fugiendae sint omnino scholae. Aliud est
vitare, aliud eligere.

Non . . . valet ut, it does not for that reason follow that . . . ;
aliud . . . aliud, it is one thing to . . ., another to . . ., i.e., there
is all the difference between . . .

41. Ut ager quamvis fertilis sine culturā fructuosus non
potest, sic sine doctrinā animus.

Crates thought it was the teacher's fault

42. Crates cum indoctum puerum viderat, paedagogum
eius percussit.

43. Id viro bono satis est, docuisse quod sciverit ipse.
44. Cito scribendo non fit ut bene scribatur : bene
scribendo fit ut cito.
45. Ante omnia ne sit vitiosus sermo nutricibus ; has
primum audiet puer, harum verba effingere imitando
conabitur.

Avoid slang

46. Non sordidis unquam verbis in oratione est locus.

Line upon line, precept upon precept

47. Instrue praeceptis animum, ne discere cessa ;
nam sine doctrinā vita est quasi mortis imago.
48. Disce aliquid ; nam cum subito fortuna recessit,
ars remanet vitamque hominis non deserit unquam.
49. Nunquamne legisti Gaditanum quemdam Titi Livi
nomine gloriāque commotum ad visendum eum ab
ultimo terrarum orbe venisse statimque, ut viderat,
abisse ?

Gaditanus, a citizen of Cadiz.

50. In ipsā pueritiā non amabam litteras et me in eas urgeri oderam : non enim discerem nisi cogerer.

51. Conquiescere ne infantes quidem possunt. Cum vero paulum processerunt, lusionibus ita delectantur ut ne verberibus quidem deterreri possint.

52. Pueri lusionibus vel laboriosis delectantur.

53. Licet sine luxuriā agere festum diem.

54. Date puero panem, ne ploret.

55. Multa ediscere, multa cogitare, et si fieri potest, cotidie, potentissimum est. Nihil aeque ac memoria augetur curā vel neglegentiā intercidit. Quare et pueri statim quam plurima ediscant.

56. Omnia quae pulchra, honesta, praeclara sunt, plena gaudiorum sunt.

57. Caelum, non animum mutant, qui trans mare currunt.

58. Nemo in summā solitudine vitam agere velit ne cum infinitā quidem voluptatum abundantiā.

59. Quantiquanti bene emitur, quod necesse est.

Quantiquanti, genitive of price, i.e., at however great a price.

60. Nihil potest placere quod non decet.

61. Idem velle atque idem nolle firma amicitia est.

Girls in a hurry to marry at leisure repent

62. Nubere si qua voles, quamvis properabitis ambo, differ ; habent parvae commoda magna morae.

63. Crescit amor nummi quanta ipsa pecunia crescit, et minus hanc optat qui non habet.

64. Scelus intra se tacitum qui cogitat ullum, facti crimen habet.

65. Non tam turpe fuit vinci quam contendisse decorum est.

66. Ut desint vires, tamen est laudanda voluntas.

Ut + Subjunctive, '*although*' (usually followed by '*tamen*,' ' nevertheless ').

67. Bellum est sua vitia nosse.

See Vocabulary, under ' *bellus*.' *Nosse* for *novisse*.

68. Nulla lassitudo impedire officium et fidem debet.
69. Quis custodiet ipsos custodes ?
70. Unus dies gradus vitae est.
71. Malum est in necessitate vivere : sed in necessitate vivere nulla necessitas est.
72. Pistores non fuere Romae ad Persicum usque bellum. Ipsi panem faciebant Quirites—mulierum id erat opus.
73. Ubi est dignitas nisi ubi honestas ?
74. Nec vero habere satis est, nisi utaris.
75. Non pauci sunt qui se duo soles vidisse dicant.

Like master like man

76. Quales in republicā principes sunt, tales reliqui solent esse cives.

77. Proprium humani generis est odisse quem laeseris.

Promise not maintained

78. Coepisti melius quam desinis ; ultima primis cedunt ; dissimiles hic vir et ille puer.

79. Aliud est cito surgere, aliud non cadere.
80. Nemo invitus bene facit.
81. Desines timere si sperare desieris.

More haste less speed

82. Omnia non properanti clara certaque erunt ; festinatio improvida est et caeca.

Put the verb at the end

83. Verbo sensum claudere optimum est ; in verbis enim sermonis vis est.

84. Moriendi sensum celeritas aufert.
85. Semper in bello maximum est periculum eis qui maxime timent ; audacia pro muro habetur.
86. Ignavus miles et timidus, simulac viderit hostem, abiecto scuto fugit ob eamque causam perit nonnunquam integro corpore.

Sufficient unto the day . . .

87. Quid sit futurum cras, fuge quaerere.

Fuge + Inf., a Latin idiom (*shun to enquire* = do not enquire).

Athens the home of culture

88. Romae nutriri mihi contigit atque doceri,
adiecere bonae paulo plus artis Athenae.

89. Graecia capta ferum victorem cepit, et artes
intulit agresti Latio.

90. Athenis quacumque ingredimur in aliquā historiā
vestigium ponimus.

91. In omni studiorum genere bona valetudo et frugalitas
necessaria est. Frugalitas bonam valetudinem
praestat.

92. Mater Lacaena clipeo obarmans filium, ' cum hoc '
inquit ' aut in hoc redi.'

93. Aequam memento rebus in arduis servare mentem.

94. Magna multitudo undique ex Galliā perditorum
hominum latronumque convenerat, quos spes prae-
dandi studiumque bellandi ab agri culturā et cotidiano
labore revocabat.

95. Barbaris consilium non defuit, erant et virtute et
studio pugnandi pares.

96. Hostes hanc adepti victoriam in perpetuum se fore
victores confidebant.

97. Nulla pars nocturni temporis ad laborem intermittitur ; non aegris, non vulneratis facultas quietis
datur.

98. Philippus omnia castella expugnari posse dicebat, in
quae modo asellus onustus auro ascendere posset.

99. I, bone, quo tua te virtus vocat, i pede fausto
grandia laturus meritorum praemia.

100. Adeone me delirare censes ut ista esse credam.

Ista, i.e., what you say.

101. Non est consuetudo populi Romani accipere ab hoste armato condicionem.

102. Caesar venit magnis itineribus in Nerviorum fines. Ibi ex captivis cognoscit quae apud Ciceronem gerantur quantoque in periculo res sit.

103. Tum cuidam ex equitibus Gallis magnis praemiis persuasit ut ad Ciceronem epistulam ferat. Hanc Graecis conscriptam litteris mittit, ne intercepta epistula nostra consilia ab hostibus cognoscantur.

104. Hoc Druides volunt persuadere, non interire animas, sed ab aliis post mortem transire ad alios.

105. Quid agas omnibus de rebus et quid acturus sis fac nos certiores.

Circumstances alter cases

106. Consilia temporum sunt ; quae in horas commutari vides.

Esse with genitive : ' belong to,' ' depend upon.'

Pliny on the death of Martial

107. Audio Valerium Martialem decessisse et moleste fero. Erat homo ingeniosus, acutus, acer, et qui plurimum in scribendo salis haberet.

Caesar before a battle

108. Milites non longiore oratione cohortatus quam ut suae pristinae virtutis memoriam retinerent hostiumque impetum fortiter sustinerent, proelii committendi signum dedit.

His care for the defeated

109. Sub vesperum Caesar portas claudi militesque ex oppido exire iussit, ne quam noctu oppidani ab militibus iniuriam acciperent.

110. Flumen est Arar, quod per fines Aeduorum et

Sequanorum in Rhodanum influit incredibili lenitate ita ut oculis in utram partem fluat iudicari non possit.

111. Qui incolunt maritimas urbes non haerent in suis sedibus, sed volucri semper spe et cogitatione rapiuntur a domo longius, atque cum manent corpore, animo tamen exulant et vagantur.

A case for the Anti-Noise League

112. Ubi Nilus ad illa quae Catadupa nominantur praecipitat ex altissimis montibus ea gens quae illum locum accolit propter magnitudinem sonitus sensu audiendi caret.

113. Annos septuaginta natus (tot enim vixit Ennius) ita ferebat duo quae maxima putantur onera, paupertatem et senectutem, ut eis paene delectari videretur.

114. Eodem die ab exploratoribus certior factus hostes sub monte consedisse milia passum ab ipsius castris octo, qualis esset natura montis et quantus in circuitu ascensus, qui cognoscerent misit.

Qui cognoscerent, ' men to find out,' use of relative with subjunctive to express purpose.

115. Ita ancipiti proelio diu atque acriter pugnatum est. Diutius cum sustinere nostrorum impetus non possent, alteri se in montem receperunt, alteri ad impedimenta sua se contulerunt.

Pugnatum est, impersonal passive ; it was fought, i.e., there was a battle. *Alteri . . . alteri*, some . . . others.

116. Animadvertit Caesar solos ex omnibus Sequanos nihil earum rerum facere quas ceteri facerent sed tristes, capite demisso, terram intueri. Eius rei quae causa esset miratus ex ipsis quaesivit. Nihil Sequani responderunt, sed in eādem tristitiā taciti permanserunt.

This is my own, my native, land

117. Nescio quā natalę solum dulcedine cunctos
ducit, et immemores non sinit esse sui.

Dr. Fell

118. Non amo te, Sabidi, nec possum dicere quare :
hoc solum possum dicere, non amo te.

*Ovid's cry for mercy when being whipped by his father for
wasting time on verses*

119. Parce mihi, nunquam versificabo, pater.

120. Piso in provinciā ab equitibus Hispanis, quos in
exercitu ductabat, iter faciens occisus est.

121. Dum paucos dies rei frumentariae commeatusque
causā moratur, ex percontatione nostrorum
vocibusque Gallorum ac mercatorum, qui Germanos
ingenti multitudine corporum et incredibili virtute
in armis esse dicebant, tantus subito timor omnem
exercitum occupavit ut non mediocriter omnium
mentes animosque perturbaret.

Ex, as a result of.

122. Dum haec in colloquio geruntur, Caesari nuntiatum
est equites Ariovisti propius tumulum accedere et ad
nostros adequitare, lapides telaque in nostros coicere.
Caesar loquendi finem facit seque ad suos recepit
suisque imperavit ne quod omnino telum in hostes
reicerent.

123. Ex eo die dies continuos quinque Caesar pro castris
suas copias produxit et aciem instructam habuit, ut,
si vellet Ariovistus proelio contendere, ei potestas
non deesset. Ariovistus his omnibus diebus
exercitum castris continuit, equestri proelio cotidie
contendit. Genus hoc erat pugnae quo se Germani
exercuerant.

Loss of appetite. ' *Oh ! Take the nasty soup away* '

124. Os hebes est, positaeque movent fastidia mensae,
     et queror invisi cum venit hora cibi.

A good omen

125. L. Paulus, cum ei bellum ut cum rege Perse gereret
     obtigisset, ut eā ipsā die domum ad vesperum
     rediit, filiam suam Tertiam, quae tum erat admodum
     parva, osculans animadvertit tristem.   ' Quid est ? '
     inquit, ' mea Tertia, quid tristis es ? ' ' Mi pater '
     inquit, ' Persa periit.'   Tum ille puellam amplexus ;
     ' Accipio ' inquit, ' mea filia, omen.'   Erat autem
     mortuus catellus eo nomine.

Eo nomine, abl. of description, ' of that name.'   Paulus felt that
the death of the puppy called Persa was a good omen for the begin-
ning of his campaign against Perses.

The Roman Senate always considerate and wishful to help

126. Tantā mansuetudine atque misericordiā senatus
     populi Romani semper fuit ut nemo unquam ab eo
     frustra auxilium petiverit.

127. Ubi plerumque noctis processit, obscuro etiam tum
     lumine, milites Iugurthini signo dato castra hostium
     invadunt, semisomnos partim, alios arma sumentes
     fugant funduntque.

128. Eos vero septem, quos Graeci sapientes nomin-
     averunt, omnes paene video in mediā republicā
     esse versatos.

129. Passennus Paulus, splendidus eques Romanus et in
     primis eruditus, scribit elegos.   Is cum recitaret,
     ita coepit dicere, ' Prisce, iubes.'   Ad hoc Iavolenus
     Priscus (aderat enim ut Paulo amicissimus) : ' Ego
     vero non iubeo.'   Cogita, qui risus hominum, qui
     ioci.   Est omnino Priscus dubiae sanitatis, interest
     tamen officiis, adhibeturque consiliis.   Quo magis,
     quod tunc fecit, et ridiculum et notabile fuit.

130. Multos expertus sum, qui fallere vellent, qui autem
     falli, neminem.

131. Socrates, in pompā cum magna vis auri argentique
ferretur, ' quam multa ' inquit ' non desidero ! '

132. Fistula dulce canit volucrem dum decipit auceps.

133. Inter lupos et canes nulla salus est.

134.   *When I thinks of what I is*
           And what I used to was,
           I thinks I've throwed myself away
           Without sufficient cos.

Cor dolet cum scio ut nunc sum atque ut fui.

135. Longe alia est navigatio in concluso mari atque in
vastissimo apertissimoque Oceano.

Seamanship of the Veneti

136. Venetorum est longe amplissima auctoritas omnis
orae maritimae regionum earum, quod et naves
habent plurimas, quibus in Britanniam navigare
consuerunt, et scientiā et usu nauticarum rerum
reliquos antecedunt.

The superiority of their fleet over that of the Romans

137. Accedebat ut, cum saevire ventus coepisset et se
vento dedissent hae naves, et tempestatem ferrent
facilius et in vadis consisterent tutius, et ab aestu
relictae nihil saxa et cautes timerent ; quarum
rerum omnium nostris navibus casus erat extimes-
cendus.

138. In castris Helvetiorum tabulae repertae sunt litteris
Graecis confectae, et ad Caesarem relatae, quibus in
tabulis nominatim ratio confecta erat, qui numerus
domo exisset et qui arma ferre possent.

Criticism of a singer

139. C. Caesar hoc dixit de amico qui canere conabatur :
Si cantas, male cantas ; si legis, cantas.

140. Augustus equitem Romanum in spectaculis bibentem
vidit, cui dixit : ' Ego si prandere volo, domum eo.'
' Tu enim ' inquit, ' non times ne locum perdas.'

141. Tibur in Herculeum migravit nigra Lycoris ;
    omnia dum fieri candida credit ibi.

The sulphurous waters of *Tibur* (Tivoli) were supposed to turn
things white.

Effect of a catchy tune

142. Illic et cantant quidquid didicere theatris,
    et iactant faciles ad sua verba manus.

143. Themistocles quidem, cum ei Simonides artem
memoriae polliceretur, ' oblivionis ' inquit ' mallem
artem : nam memini etiam quae nolo, oblivisci non
possum quae volo.'

144. Omnes hostes terga verterunt neque prius fugere
destiterunt quam ad flumen Rhenum pervenerunt.
Ibi perpauci aut viribus confisi tranare contenderunt
aut lintribus inventis sibi salutem reppererunt.

145. Eā re constitutā, magno cum strepitu ac tumultu
castris egressi, nullo certo ordine neque imperio,
cum sibi quisque primum itineris locum peteret
et domum pervenire properaret, fecerunt ut consimilis
fugae profectio videretur.

False Teeth

146. Thais habet nigros, niveos Laecania dentes ;
    quae ratio est ?   Emptos haec habet, illa suos.

Disastrous effect of a paroxysm of coughing

147. Si memini, fuerant tibi quattuor, Aelia, dentes ;
    expulit una duos tussis et una duos.
    Iam secura potes totis tussire diebus ;
    nil istic, quod agat tertia tussis, habes.

148. Ubi ea dies quam constituerat cum legatis venit et
legati reverterunt, negat se more et exemplo populi

Romani posse iter ulli per provinciam dare et, si vim facere conentur, prohibiturum.

149. Africanus solebat dicere nunquam se plus agere quam cum nihil ageret, nunquam minus solum esse quam cum solus esset.

150. Hoc enim uno praestamus vel maxime feris, quod colloquimur inter nos et quod exprimere dicendo sensa possumus.

151. Orgetorix, regni cupiditate inductus, coniurationem nobilitatis fecit, et civitati persuasit ut de finibus suis cum omnibus copiis exirent. Dumnorigi, qui eo tempore principatum in hac civitate obtinebat et maxime plebi acceptus erat, ut idem conaretur persuadet, eique filiam suam in matrimonium dat.

152. Interea Orgetorix mortuus est, neque abest suspicio quin ipse sibi mortem consciverit.

Neque abest suspicio quin . . ., it is suspected that . . . ; *mortem sibi consciscere*, to commit suicide.

Differing characteristics

153. Vitae vero instituta sic distant ut Cretes et Aetoli latrocinari honestum putent, Lacedaemonii suos omnes agros esse dictitarint quos spiculo possent attingere. Athenienses iurare etiam solebant omnem suam esse terram quae oleam frugesve ferret; Galli turpe esse dicunt frumentum manu quaerere, itaque armati alienos agros demetunt; nos vero iustissimi homines Transalpinas gentes oleam et vitam serere non sinimus, quo pluris sint nostra oliveta nostraeque vineae.

Manu, i.e., by manual labour; *pluris*, gen. of price, more valuable.

154. In dissensione civili, cum boni plus quam multi valeant, expendendos cives esse, non numerandos puto.

155. Auxilia ex Britannia, quae contra eas regiones posita est, arcessunt.

156. Omnes homines naturā libertati student et condicionem servitutis oderunt.

157. Nos non imperium neque divitias petimus, quarum rerum causā bella atque certamina omnia inter mortales sunt, sed libertatem, quam nemo bonus nisi cum animā amittit.

Conscription among the Suebi

158. Sueborum gens est longe maxima et bellicosissima Germanorum omnium. Hi centum pagos habere dicuntur, ex quibus quotannis singula milia armatorum bellandi causā educunt. Reliqui qui domi manserunt se atque illos alunt ; hi rursus in vicem anno post in armis sunt, illi domi remanent. Sic neque agri cultura nec ratio atque usus belli intermittitur.

Their customs

159. Apud Suebos privati ac separati agri nihil est, neque longius anno remanere uno in loco incolendi causā licet.

160. A pueris nullo officio aut disciplinā assuefacti, nihil omnino contra voluntatem faciunt.

161. Locis frigidissimis neque vestitus praeter pelles habent, quarum propter exiguitatem magna est corporis pars aperta, et lavantur in fluminibus.

How the Gauls get news

162. Est enim hoc Gallicae consuetudinis ut et viatores etiam invitos consistere cogant, et quod quisque eorum de quāque re audierit aut cognoverit quaerant, et mercatores in oppidis vulgus circumsistat, quibusque ex regionibus veniant quasque ibi res cognoverint pronuntiare cogant.

Effect of a storm

163. Cum appropinquarent Britanniae tanta tempestas

subito coorta est ut nulla earum navium cursum tenere posset, sed aliae eodem unde erant profectae referrentur, aliae ad inferiorem partem insulae magno sui cum periculo deicerentur.

Atlantic tide

164. Eādem nocte accidit ut esset luna plena, qui dies maritimos aestus maximos in Oceano efficere consuevit, nostrisque id erat incognitum. Ita et naves longas aestus complevere, et onerarias tempestas adflictabat, neque ulla nostris facultas auxiliandi dabatur. Compluribus navibus fractis totius exercitus perturbatio facta est. Neque enim naves erant aliae quibus reportari possent.

Experiences in Britain

165. Caesar cognito consilio Britannorum, ad flumen Tamesim exercitum duxit; quod flumen uno omnino loco pedibus, atque hoc aegre, transiri potest.

166. Eo cum venisset, animadvertit ad alteram fluminis ripam magnas esse copias hostium instructas.

167. Oppidum Britanni vocant, cum silvas impeditas vallo atque fossā muniverunt, quo convenire consuerunt.

168. Britanniae caelum crebris imbribus ac nebulis foedum; asperitas frigorum abest, loca sunt temperatiora quam in Galliā, remissioribus frigoribus.

169. Ex omnibus Britannis longe sunt humanissimi qui Cantium incolunt, quae regio est maritima omnis, neque multum a Gallicā differunt consuetudine. Interiores plerique frumenta non serunt, sed lacte et carne vivunt, pellibusque sunt vestiti. Omnes vero se Britanni vitro inficiunt, quod caeruleum efficit colorem, atque hoc horridiore sunt in pugnā aspectu; capilloque sunt promisso atque omni parte corporis rasā praeter caput et labrum superius.

VOCABULARY TO PART I

A

Ab *prep.* + *abl* — from, by (persons)

abeo -ire -ii -itum — go away

abicio -icere -ieci -iectum — throw away

absum -esse -fui — be absent, away

abundantia -ae *f.* — wealth, abundance

ac — and

accedo -ere -cessi -cessum — approach, be added,
   impers. accedit ut — it is added that, i.e.,
     furthermore

acceptus -a -um — acceptable, pleasing

accido -ere -cidi — happen
   impers. accidit ut — it happens that

accipio -ere -cepi -ceptum — receive, accept

accolo -ere -colui — dwell by

acer acris acre — keen

acies *f.* — line of battle

acriter — fiercely

acutus -a -um — sharp, acute

ad *prep.* + *acc.* — towards
   + *acc.* of gerund — in order to

ad hoc (129) — in reply to this

adeo — so

adequito -are — ride up to

adflicto -are — batter, damage

adhibeo -ēre — call, summon

adicio -ere -ieci -iectum — add

adipiscor -i -eptus — obtain

adiuvo -are -iuvi -iutum — help

admissus -a -um — at full speed, galloping

admodum — quite

adsum -esse -fui — be present

Aedui — The Aedui

aeger aegra aegrum	sick
aegre	with difficulty
aeque ac	equally as, as much as
aequus -a -um	even, level, fair, impartial
aequo animo	with composure
aestimo -are	value
aestus -us *m.*	tide
aetas -tatis *f.*	age, time, life
aeternus -a -um	everlasting
ager agri *m.*	field, farm
ago -ere egi actum	do, drive, dislodge pass (of time, etc.)
agrestis -is -e	countrified, rustic
agricola -ae *m.*	farmer
alienus -a -um	belonging to another, foreign, strange
aliquis -qua -quid (quod)	someone, something, some
alius	another, different
alo -ere -ui -tum	nourish
alter	other (of two)
altus -a -um	high
amabilis -is -e	lovable, lovely
ambo ambae ambo	both
amicitia -ae *f.*	friendship
amicus -i *m.*	friend, really an *adj.*, so that amicissimus=a great friend
amitto -ere -misi -missum	lose, give up,
amo -are	love *v.*
amor -is *m.*	love *n.*
amplector -i -plexus	embrace
amplus -a -um	large
anceps -cipitis	doubtful, dangerous, evenly contested
anima -ae *f.*	life, soul
animadverto -ere -verti -versum	notice
animus -i *m.*	mind
annus -i *m.*	year
ante *prep.* + *acc.* and *adv.*	before
antecedo -ere -cessi -cessum	surpass

anteeo -ire -ii	exceed
antiquus -a -um	ancient
apertus -a -um	open
appropinquo -are	approach
apud *prep.* + *acc.*	among
arbitror -ari	think
arbor -oris *f.*	tree
arcesso -ere -ivi -itum	send for, summon
arduus -a -um	hard, difficult
argentum -i *n.*	silver
arma -orum *n.* (*pl.*)	arms
armatus -a -um	armed, in arms
ars artis *f.*	art, skill, accomplishment, gift
ascendo -ere -di -sum	climb
ascensus -us *m.*	ascent
asellus -i *m.*	ass
aspectus -us *m.*	appearance
asperitas -tatis *f.*	severity
assuefacio -ere -feci -factum	accustom
Athenae -arum *f.*	Athens
atque	and
attingo -ere -tigi	touch, reach
auceps -cupis *m.* and *f.*	fowler
auctoritas -atis *f.*	authority, influence
audacia -ae *f.*	boldness, bravery
audeo -ēre ausus sum	dare
audio -ire	hear
aufero -ferre abstuli ablatum	take away, carry off
augēo -ere auxi auctum	increase
aurum -i *n.*	gold
aut	or
aut . . . aut	either . . . or
autem	but, however; now
auxilior + *dat.*	help
auxilium -i *n.*	help

B

barbarus -a -um	barbarian
bellicosus -a -um	warlike

bello -are	make war
bellum -i *n.*	war
bellus -a -um	pretty, fine, good
bene	well
bibo -ere bibi	drink
bis	twice
bonus -a -um	good
brevis -is -e	short, short-lived

C

cado -ere cecidi casum	fall
caecus -a -um	blind
caelum -i *n.*	sky, clime, climate
caeruleus -a -um	dark blue
candidus -a -um	glistening, white
canis -is *m.* and *f.*	dog
cano -ere cecini cantum	sing
Cantium -ii *n.*	Kent
canto -are	sing
cantor -oris	singer
capillus -i *m.*	hair
capio -ĕre cepi captum	take
caput -itis *n.*	head
careo -ēre -ui + *abl.*	lack, be without
caro carnis *f.*	flesh
castellum -i *n.*	fort, fortress
castra *n.* (*pl.*)	camp
casus -us *m.*	chance
catadupa -orum *n.* (*pl.*)	cataract
catellus -i *m.*	puppy
catena -ae *f.*	chain
causa -ae *f.*	cause, reason
causā (*abl.*) with *gen.*	for the sake of
cautes -is *f.*	crag, reef
cedo -ere cessi cessum	retire, yield, be inferior to
celer celeris celere	swift
celeritas -tatis	swiftness
celeriter	quickly
censeo -ēre -ui -um	think

centum	hundred
certamen -inis *n.*	struggle
certe	assuredly
certiorem facio -ere feci factum	inform ; *lit.* make more certain
certus -a -um	certain, sure
cesso -are	flag, cease
ceteri -ae -a	the rest
ceterum	but
cibus -i *m.*	food
Cicero -onis *m.*	Cicero
circuitus -us *m.*	circumference
circumsisto -ere -stiti	stand round
cito	quickly
civilis -is -e	civil
civis -is *m.* and *f.*	citizen
civitas -tatis *f.*	state, country
clarus -a -um	famous, noble
claudo -ere -si -sum	close, shut, conclude
clipeus -i *m.*	shield
coepi (*pf.*)	began
cogitatio -onis *f.*	expectation, imagination
cogito -are	imagine, contemplate, reflect
cognosco -ere -novi -nitum	ascertain, discover
cogo -ere coegi coactum	compel, gather together
cohortor -ari	encourage
coicio -ere conieci -iectum	throw, hurl
colloquium -i *n.*	conference
colloquor -i -locutus	converse
color -is *m.*	colour
comes -itis	in company with, a companion
commeatus -us *m.*	provisions
committo -ere -misi -missum (proelium)	engage in battle
commodum -i *n.*	advantage
commoveo -ēre -movi -motum	disturb, alarm, stir
commuto -are	change
compesco -ere -ui	restrain
compleo -ēre -plevi -etum	fill

complures (*pl.*)	several
conclusus -a -um	enclosed
concordia -ae *f.*	harmony, agreement
condicio -nis *f.*	condition, terms
confectus -a -um	written
confero -ferre -tuli -latum (seria)	engage in serious talk
se conferre	betake oneself
conficio -ere -feci -fectum	make, finish, write
confido -ere confisus sum + *dat.* or *abl.*	trust
coniuratio -onis *f.*	conspiracy
conor -ari	try, attempt
conquiesco -ere -quievi	rest, keep quiet
conscisco -ere -scivi (mihi mortem)	commit suicide
conscribo -ere -scripsi -scriptum	write, enrol
consido -ere -sedi -sessum	sit down, encamp
consilium -i *n.*	plan, counsel
consimilis -is -e	very like
consisto -ere -stiti	stand, halt
constituo -ere -ui -utum	fix, settle
consuesco -ere -suevi -suetum	become accustomed ; (*pf.*) be accustomed
consuetudo -dinis *f.*	custom, habit
contendo -ere -tendi -tentum	strive, hasten, contend
contineo -ere -tinui -tentum	keep
contingo -ere -tigi	happen, mostly of good fortune ; *impers.*, e.g., mihi contingit, I have the good fortune to . . .
continuus -a -um	continuing, unbroken
contra *prep.* + *acc.*	against, opposite
convenio -ire -veni -ventum	assemble, come together, interview
conviva -ae *m.* or *f.*	guest
coorior -iri -ortus	arise
copiae -arum *f.* (*pl.*)	forces
cor cordis *n.*	heart

corpus -oris *n.*	body
cotidianus -a -um	daily
cotidie	daily, every day
cras	to-morrow
creber -bra -brum	frequent
credo -ere credidi creditum (+ *dat.*)	believe ; think
cresco -ere crevi cretum	grow
crimen -inis *n.*	charge, guilt
cultura -ae *f.*	cultivation
cum *conj.*	when, since, although
prep. + *abl.*	with
cunctor -ari	delay
cunctus -a -um	all
cupio -ere -ivi -itum	desire
cupiditas -tatis *f.*	desire, ambition
cura -ae *f.*	care, attention, curiosity, anxiety
curro -ere cucurri cursum	run
custodio -ire	guard
custos -odis *m.* and *f.*	guard

D

de *prep.* + *abl.*	concerning
debeo -ēre	be obliged, be bound, ought
decedo -ere -cessi -cessum	die
decet	it is seemly
decipio -ere -cepi -ceptum	deceive, snare
decorus -a -um	comely, honourable, glorious
deicio -ere -ieci -iectum	cast ashore, carry out of one's course
delecto -are	delight
delibero -are	consider, decide
deliro -are	be crazy
demeto -ere -messui -messum	reap
demitto -ere -misi -missum	send down, lower
dens dentis *m.*	tooth
depono -ere -posui -positum	lay down, bring to an end
desero -ere -serui -sertum	desert

desidero -are	long for, miss
desino -ere -sivi or desii -situm	cease, finish, end, be brought to an end
desisto -ere stiti -stitum	cease
desum -esse -fui	be wanting
deterreo -ēre	deter, frighten
detraho -ere -traxi -tractum	remove
deus -i *m*.	god
dico -ere dixi dictum	say, speak, tell
dictito -are	say repeatedly, pretend, claim
dies diei *m*. (or *f*.)	day
differo -ferre distuli -dilatum	put off, differ
difficilis -is -e	hard, difficult
dilabor -i -lapsus	fall asunder, collapse
disciplina -ae *f*.	training, discipline
disco -ere didici	learn
discordia -ae *f*.	discord, disunion
discrimen -inis *n*.	difference
dissensio -onis *f*.	dissension, strife
dissimilis -is -e	unlike, different
dissimulo -are	conceal, pretend
disto -are	differ
diu *comp*. diutius	for a long time
divitiae -arum (*pl*.) *f*.	riches
do dare dedi datum	give
doceo -ēre docui doctum	teach, inform
doctrina -ae *f*.	learning
doleo -ēre	grieve
dolendus -a -um	with pain *or* resentment
domus -us *f*.	house, home
domi	at home
Druides (*pl*.) *m*.	Druids
dubius -a -um	doubtful
duco -ere duxi ductum	lead, lead on, draw
ducto -are	lead, command
dulcedo -inis *f*.	sweetness, charm
dulcis -is -e	sweet, *adv*. dulce, sweetly
dum	while, until
duo duae duo	two
dux ducis *m*.	leader, general

E

edisco -ere -didici	learn by heart
educo -ere -duxi -ductum	lead out
effectus -us *m.*	accomplishment, effect
efficio -ere -feci -fectum	make, produce
effingo -ere -finxi -fictum	produce, copy
ego	I
egredior -i -gressus	go out
elegus -i *m.*	verse
eligo -ere -legi -lectum	choose
emo -ere emi emptum	buy
enim	for
eo *adv.*	thither
eo (*vb.*) ire ivi itum	go
eodem	to the same place
epistula -ae *f.*	letter
epulae -arum (*pl.*) *f.*	feast, banquet
eques -itis *m.*	horseman, knight
equester -tris -tre	of cavalry
erro -are	wander, be distracted
eruditus -a -um	accomplished, learned
est	he (she, it) is
et	and, even
et . . . et	both . . . and
etiam	even, also
etiam tum	even then, still
etiamsi	even if
eventus -us *m.*	event, issue, result
evolvo -ere -volvi -volutum	unfold
ex, e *prep.* + *abl.*	out of, from
excusatio -onis *f.*	excuse
exemplum -i *n.*	example, precedent
exeo -ire -ii -itum	go out, march out
exerceo -ēre	exercise, practise
exercitus -us *m.*	army
exiguitas -tatis *f.*	small size
expello -ere -puli -pulsum	drive out, dislodge
expendo -ere -pendi -pensum	value (as to merit)
experior -iri -pertus	make trial of, experience, come across

explorator -oris *m.*	scout
exprimo -ere -pressi -pressum	express
expugno -are	capture, storm
extimesco -ere -timui	fear greatly
exulo -are	be in exile

F

faber -bri *m.*	workman, architect
facies -iei *f.*	face, appearance
facilis -is -e	easy, ready ; *superl.* facillimus ; *adv.* facile, easily ; *comp.* facilius
facio -ere feci factum	make, do ; *imp.* fac
factum -i *n.*	deed, something done
facultas -tatis *f.*	means, opportunity
facundia -ae *f.*	eloquence
fallo -ere fefelli falsum	deceive, steal on
falsus -a -um	false
fames -is *f.*	hunger
fas *n.*	right
fastidium -i *n.*	loathing
faustus -a -um	lucky
fera -ae *f.*	wild beast
fero ferre tuli latum	bear, carry, carry off, win
fertilis -is -e	fertile
ferus -a -um	wild, uncivilised, fierce
ferveo -ēre ferbui and fervi	be hot, burn ; be brisk (*of work*)
festinatio -onis *f.*	haste
festus -a -um	festal ; festus dies, holiday
fides -ei *f.*	faith, honour, loyalty
filia -ae *f.*	daughter
filius -i *m.*	son
finis -is *m.* or *f.*	end ; *pl.* boundaries, territory
fio fieri factus	become, be made
impers. fit ut . . .,	it comes about that
fieri potest	it may be
firmus -a -um	sure, firm
fistula -ae *f.*	pipe
fleo -ēre flevi fletum	weep

flumen -inis *n.*	river
fluo -ere fluxi fluxum	flow
fluxus -a -um	evanescent, fleeting
foedus -a -um	foul
forma -ae *f.*	shape, beauty
formosus -a -um	beautiful, lovely
forsan	perhaps
fortis -is -e	brave
fortiter	bravely
fortuna -ae *f.*	fortune
fossa -ae *f.*	ditch, trench
fragilis -is -e	fragile, frail
frango -ere fregi fractum	break, shatter
frenum -i *n.*	bit, curb
frigidus -a -um	cold
frigus -oris *n.*	cold
fructuosus -a -um	fruitful
frugalitas -tatis *f.*	temperance
fruges -um *(pl.) f.*	fruits
frumentaria (res)	corn supply
frumentum -i *n.*	corn
frustra	in vain
fuga -ae *f.*	flight
fugio -ere fugi fugitum	flee, shun, avoid
fugo -are	put to flight
fundo -ere fudi fusum	pour ; rout
fur furis *m.*	thief
furor -oris *m.*	frenzy
futurus -a -um	going to be, future

G

Gaditanus -a -um	of Cadiz
Gallia -ae *f.*	Gaul
Gallicus -a -um	Gallic
Gallus *m.*	a Gaul
gaudium -i *n.*	joy, delight
gens gentis *f.*	race, people
genus -eris *n.*	kind, race
Germanus -a -um	German

gero -ere gessi gestum	carry, wear ; carry on, wage
gigno -ere genui genitum	produce
gloria -ae *f.*	glory, renown
Graecia -ae *f.*	Greece
Graecus -a -um	Greek
grandis -is -e	huge, tall

H

habeo -ēre	have, possess, hold as a possession ; *passive,* be considered
habitus -us *m.*	dress, habit, bearing
haereo -ēre haesi (haesum)	stick
hebes hebetis	dull, blunt
Helvetii -orum *(pl.) m.*	Helvetii, i.e., the Swiss
Herculeus -a -um	belonging to Hercules, Herculean
hic, haec, hoc	this
hilaris -is -e	joyful, merry
Hispanus -a -um	Spanish
historia -ae *f.*	history
homo -inis *m.*	man
honestas -tatis *f.*	honour
honestus -a -um	honourable
honor -is *m.*	honour
hora -ae *f.*	hour
in horas	from hour to hour
hostis -is *m.* and *f.*	enemy
humanus -a -um	human

I

iacto -are	toss, wave
iam	already, now
iam iam *or* iam iamque	every moment
ibi	there
idem, eadem, idem	same
ignavus -a -um	lazy, idle, cowardly
ignotus -a -um	unknown

ille -a -ud	that
illic	there
imago -inis *f.*	image, reflection
imber -bris *m.*	shower, rain
imitor -ari	imitate
immemor -oris	unmindful
impedimentum -i *n.*	hindrance ; *pl.* baggage
impedio -ire	hinder
impeditus -a -um	hampering, tangled, difficult
imperium -i *n.*	command, authority, empire
impero -are + *dat.*	order, command (with ut or ne, to or not to)
impetus -us *m.*	attack
improvidus -a -um	improvident
incendo -ere -di -sum	set on fire, fire
incipio -ere -cepi ceptum	begin
incito -are	urge on, encourage
incognitus -a -um	unknown
incolo -ere -colui	inhabit
incredibilis -is -e	unbelievable
indignus -a -um	undeserving
indoctus -a -um	untaught, ignorant
induco -ere -duxi -ductum	lead on ; with animum, induce oneself
infans -fantis *m.* and *f.*	infant
infero -ferre -tuli -latum	carry in, introduce
inferus -a -um	lower
inficio -ere -feci -fectum	dye, stain
infinitus -a -um	unbounded, infinite, un-limited
infirmitas -tatis *f.*	weakness, infirmity
influo -ere -fluxi -fluxum	flow in
ingeniosus -a -um	talented
ingens -entis	huge
ingredior -i -gressus	enter, step
initium -i *n.*	beginning
iniuria -ae *f.*	injury
iniussus -a -um	not ordered, unasked
in primis	among the first, supremely
inquit	says he (she)

insperatus -a -um	unlooked for
instituo -ere -ui -utum	set up
institutum -i *n.*	institution, habit
instruo -ere -struxi -structum	equip, draw up
insula -ae *f.*	island
insum -esse -fui	be in
integer -gra -grum	whole, untouched, fresh
intendo -ere -tendi -tentum	stretch, intend
inter *prep.* + *acc.*	among
intercido -ere -cidi	go to ruin
intercipio -ere -cepi -ceptum	intercept
interea	meanwhile
intereo -ire -ii -itum	die, perish
interior -ius (*comp.*)	inner, inland
intermitto -ere -misi -missum	interrupt
intersum -esse -fui + *dat.*	attend
intra *prep.* + *acc.*, and *adv.*	within
intueor -ēri	gaze on
invado -ere -vasi -vasum	attack
invenio -ire -veni -ventum	find
invisus -a -um	hated
invitus -a -um	against one's will
iocosus -a -um	merry
iocus -i *m.*	joke, jest ; *pl.* merriment
ipse -a -um	self
ira -ae *f.*	anger
is ea id	he, she, it ; that
iste -a -um	that (of yours)
istic	there
ita	thus, so
itaque	and so
iter itineris *n.*	march, journey, passage
iubeo -ēre iussi iussum	order
iucunditas -tatis	pleasure
iucundus -a -um	pleasant
iudico -are	judge, determine
Iugurthinus -a -um	Jugurthine, against Jugurtha
iungo -ere iunxi iunctum	join
iuro -are	swear
iustus -a -um	honourable

iuvenis -is *m.*	young man
iuvo -are iuvi iutum	delight, help ; *impers.* iuvat, it is a pleasure

L

labor (*n.*) -oris *m.*	work, hardship
labor (*v.*) -i lapsus	slip, glide
laboriosus -a -um	fatiguing
labrum -i *n.*	lip
lac lactis *n.*	milk
Lacaena -ae *f.*	Spartan woman
laedo -ere laesi laesum	injure
laetitia -ae *f.*	joy
lapis -idis *m.*	stone
lassitudo -inis *f.*	weariness
Latium -i *n.*	Latium
latro -onis *m.*	robber
latrocinor -ari	practise piracy, rob
laudo -are	praise
laus laudis *f.*	praise
lavo -are lavi lautum	wash ; *pass.* bathe
legatus -i *m.*	officer
lego -ere legi lectum	read
lenitas -tatis *f.*	gentleness
levis -is -e	light
libertas -tatis *f.*	liberty, freedom
licet -ēre	it is permitted, possible
linter -tris *f.*	boat
littera -ae *f.*	letter of alphabet, *pl.* literature or letter
locus -i *m.* ; (*pl.*) loca *n.*	place
longe	far ; *comp.* longius, further
longus -a -um	long
loquor -i locutus	speak, say
lumen -inis *n.*	light
luna -ae *f.*	moon
lupus -i *m.*	wolf
lusio -onis *f.*	play, game
luxuria -ae *f.*	luxury

M

magis	more
magnificus -a -um	magnificent
magnitudo -inis *f.*	greatness, size
magnus -a -um	great
male	badly
malo malle malui	prefer
malum -i *n.*	evil, misfortune
maneo -ēre mansi mansum	remain
mansuetudo -inis *f.*	kindness, clemency
manus -us *f.*	hand
mare -is *n.*	sea
maritimus -a -um	maritime
mater -tris *f.*	mother
matrimonium -i *n.*	marriage
maxime	chiefly, most
maximus -a -um	greatest
mediocriter	moderately
medius -a -um	middle (of)
melior -ius	better
memini (*pf.*)	remember ; *imper.* memento
memoria -ae *f.*	memory
mendax -acis	lying
mens mentis *f.*	mind
mensa -ae *f.*	table
mercator -oris *m.*	merchant
merces -edis *f.*	reward
mereo -ēre	deserve, earn
meritum -i *n.*	service, desert
mi *voc.* of meus	my
migro -are	migrate
miles -itis *m.*	soldier
mille	thousand ; *pl.* milia, thousands ; mille passus, mile ; milia passuum, miles
minuo -ere -ui -utum	lessen
minus	less
miror -ari	wonder (at), admire
mirus -a -um	wonderful
misericordia -ae *f.*	compassion

mitto -ere misi missum	send
modo	only
moleste	with annoyance, impatiently ; moleste fero, be vexed, distressed
mons -ntis *m.*	mountain
monstro -are	show
mora -ae *f.*	delay
morior -i mortuus	die
moror -ari	delay
mors mortis *f.*	death
mortalis -is -e	mortal
mortuus -a -um	dead
mos moris *m.*	custom, manner ; *pl.* mores, character
moveo -ēre movi motum	move
mulier -eris *f.*	woman
multitudo -inis *f.*	crowd
multus -a -um	much, many, *adv.* multum, much
munio -ire	fortify
muto -are	change, exchange

N

nam	for
nascor -i natus	be born
natus -a -um + *acc. of time*	old
natalis -is -e	native
natura -ae *f.*	nature
nauticus -a -um	naval
navigatio -onis *f.*	sailing
navigo -are	sail
navis -is *f.*	ship ; navis longa, warship
ne	lest ; not (in negative commands)
-ne	*used to ask a question*
ne . . . quidem	not . . . even
nebula -ae *f.*	cloud, fog
nec . . . nec	neither . . . nor

necessarius -a -um	necessary, unavoidable
necesse	necessary
necessitas -tatis *f.*	necessity
necessitudo -inis *f.*	necessity
nefas *n.*	wrong, wickedness
neglegentia -ae *f.*	neglect
nego -are	deny
nemo	no one
neque . . . neque	neither . . . nor
Nervii -orum *m.*	the Nervii
nervus -i *m.*	sinew
nescio quis, quae, quid (quod)	some(one)
nihil (nil) *n.*	nothing
Nilus -i *m.*	the Nile
nisi	unless, except
nitor -i nisus	strive
niveus -a -um	snowwhite
nobilitas -tatis *f.*	nobility
noctu	by night
nocturnus -a -um	night
nolo nolle nolui	be unwilling
nomen -inis *n.*	name
nominatim	by name
nomino -are	name, call
non	not
nonnunquam	sometimes
nos	we
nosco -ere novi notum	get to know ; *pf. tenses (inf.* nosse for novisse), know
noster -tra -trum	our
notabilis -is -e	noteworthy, remarkable
nox, -ctis *f.*	night
nubo -ere nupsi nuptum	marry (of the woman)
nullus -a -um	no
numero -are	count
numerus -i *m.*	number
nummus -i *m.*	coin, money
nunc	now
nunquam	never
nuntio -are	announce

nutrio -ire — nurture
nutrix -icis *f.* — nurse

O

ob *prep.* + *acc.* — on account of
obarmo -are — arm
oblivio -onis *f.* — forgetfulness, oblivion
obliviscor -i -litus + *gen.* — forget
obscuro -are — darken, obscure
obscurus -a -um — obscure, faint, dark
obtineo -ēre -tinui -tentum — hold
obtingo -ere -tigi — fall to the lot of
   + *dat.* of person and *ut* . . . — be appointed to . . .
Oceanus -i *m.* — Ocean
occido -ere -cidi -cisum — kill
occulte — secretly
occupo -are — seize
octo — eight
oculus -i *m.* — eye
odi (*pf.*) — hate
officium -i *n.* — duty
olea -ae *f.* — olive
olim — once, some day
olivetum -i *n.* — olive grove
omen -inis *n.* — omen
omnino — altogether; (after *neg.*), at all
omnis -is -e — all, every
oneraria navis — ship of burden
onus -eris *n.* — burden
onustus -a -um — loaded, laden
oppidanus -i *m.* — townsman
oppidum -i *n.* — town
optimus -a -um — very good, best; *adv.* optime
opto -are — desire, pray for
opus -eris *n.* — work
opus est + *abl.* — there is need of . . .
ora -ae *f.* — shore
oratio -onis *f.* — speech, oratory
orbis -is *m.* — quarter (of the world)

ordo -inis *m.*	order, rank
ortus -us *m.*	rising, birth
os oris *n.*	mouth
osculo -are	kiss

P

paedagogus -i *m.*	teacher
paene	almost
pagus -i *m.*	village
pallidus -a -um	pale
panis -is *m.*	bread
par	equal
parco -ere peperci + *dat.*	spare
parens -ntis *m.* or *f.*	parent
pareo -ēre (+ *dat.*)	obey
pars partis *f.*	part, direction
partim	partly
parvus -a -um	small
passus -us *m.*	pace ; see also mille
pateo -ēre	lie open
pater -ris *m.*	father
patria -ae *f.*	fatherland, country
pauci -ae -a	few
paulum, paulo	a little
pauper -eris	poor
paupertas -tatis *f.*	poverty
pax pacis *f.*	peace
peccatum -i *n.*	fault, sin
pecco -are	sin
pectus -oris *n.*	breast, heart ; interest
pecunia -ae *f.*	money
pellis -is *f.*	skin, hide
penes *prep.* + *acc.*	in the possession of
per *prep.* + *acc.*	through
percontatio -onis *f.*	questioning
percutio -ere -cussi -cussum	strike, beat
perditus -a -um	abandoned
perdo -ere -didi -ditum	destroy, lose
pereo -ire -ii -itum	perish

periculum -i *n.*	danger
permaneo -ēre -mansi -mansum	remain, endure
perpauci -ae -a	very few
perpetuus -a -um	everlasting ; in perpetuum, for ever
perquiro -ere -quisivi -quisitum	enquire
persuadeo -ēre -suasi -suasum + *dat.*	persuade
pertineo -ēre -tinui	concern
perturbatio -onis *f.*	alarm, confusion
perturbo -are	alarm
pervenio -ire -veni -ventum with *ad.* + *acc.*	arrive
pes pedis *m.*	foot
peto -ere -ivi -itum	seek
pistor -oris *m.*	baker
placeo -ēre + *dat.*	please
plebs -is *f.*	common people
plenus -a -um	full
plerique -aeque -aque	most
plerumque	generally
ploro -are	lament, weep
plurimus -a -um (usually *pl.*)	very many ; *adv.* plurimum, very much
pluris	worth more
plus *n.*	more ; also *adv.* more
poena -ae *f.*	penalty, punishment
polliceor -ēri	promise
pompa -ae *f.*	procession
pono -ere posui positum	place, set
populus -i *m.*	people
porta -ae *f.*	gate
possideo -ēre -sedi -sessum	possess
possum posse potui	can, am able
post *prep.* + *acc.*, and *adv.*	after
potens -entis	powerful, important
potestas -tatis *f.*	power, opportunity
potior -iri	acquire
potis	able
prae *prep.* + *abl.*	before

praeceptor -oris *m.*	teacher
praeceptum -i *n.*	precept
praecipio -ere -cepi -ceptum	lay down
praecipito -are	topple, rush down, fall head-long
praeclarus -a -um	famous, glorious
praeda -ae *f.*	booty, gain
praedor -ari	ravage, plunder
praefero -ferre -tuli -latum	prefer
praemium -i *n.*	reward, prize
praesto -are -stiti	guarantee
practer *prep.* + *acc.*	except, besides
praeteritus -a -um	past
prandeo -ēre prandi	dine
primus -a -um	first ; *adv.* primum, first
princeps -ipis *m.*	leading man
principatus -us *m.*	leadership
pristinus -a -um	former
prius . . . quam	before
privatus -a -um	private
pro *prep.* + *abl.*	for, on behalf, instead of, before
procedo -ere -cessi -cessum	advance, grow up
produco -ere -duxi -ductum	lead forth
proelium -i *n.*	battle
profectio -onis *f.*	departure
profecto	assuredly
proficiscor -i -fectus	set out, start
prognatus -i *m.*	son
prohibeo -ēre	prevent
promissus -a -um	long (of hair)
pronuntio -are	tell, proclaim
prope *prep.* + *acc.*, and *adv.*	near ; *comp.* propius
propero -are	hasten
proprius -a -um	characteristic
propter *prep.* + *acc.*	on account of
prosum prodesse profui + *dat.*	benefit
provincia -ae *f.*	province
pudor -oris *m.*	honour, shame
puella -ae *f.*	girl

puer -i *m.*	boy
pueritia -ae *f.*	boyhood
pugna -ae *f.*	fight
pugno -are	fight
pulcher -chra -chrum	beautiful, fair
pulso -are	beat, knock at
puto -are	think

Q

quacumque	wherever
quaero -ere -sivi -situm	enquire, seek, get
qualis -is -e	of what kind ; *following talis,* = as
quam	how, than, as ; with *superl.* as . . . as possible
quamvis	however, although
quantiquanti	at whatever price
quantus -a -um	how great ; *following tantus* = as
quare	why, wherefore
quasi	as if, as it were
quattuor	four
-que	and
queror -i questus	complain
qui quae quod	who (*relative pronoun*)
quia	because
quidam, quaedam, quoddam	a certain
quidem	even, indeed
quies -tis *f.*	rest
quin	that (after negatived verbs of doubting)
quinque	five
Quirites -ium *m.* (*pl.*)	Roman citizens
quis quid *pron.*, qui quae quod *adj.*	(*interrog.*) who, what ; (*indef.* after si, ne, etc.), anyone, anything
quisque, quaeque, qudoque	each
quisquis, quidquid	whoever, whatever
quivis, quaevis, quidvis (quodvis)	whosoever, whatsoever ; everyone, everything

quo	whither, wherefore ; in order that
quo magis	and so . . . more . . .
quod	because ; the fact that
quotannis	every year

R

rado -ere rasi rasum	shave
rapio -ere rapui raptum	carry off ; *pass.* hurry off
ratio -onis *f.*	account, list, reason, method, style, theory
raucus -a -um	hoarse
recedo -ere -cessi -cessum	retire, leave, retreat
recipio -ere -cepi -ceptum	recover ; with *se*, etc., betake oneself, retire
recito -are	read aloud, recite (often one's own writings)
recordor -ari	call to mind
reddo -ere -didi -ditum	give back
redeo -ire -ii -itum	go back, return
refero -ferre rettuli relatum	bring back, carry back
regio -onis *f.*	district
regnum -i *n.*	rule, sovereignty
rego -ere rexi rectum	rule
reicio -ere -ieci -iectum	throw back
relinquo -ere reliqui relictum	leave
reliquus -a -um	the rest (of)
remaneo -ere -mansi -mansum	remain
remedium -i *n.*	remedy
remissus -a -um	mild
reperio -ire repperi repertum	find
reporto -are	carry back
res rei *f.*	thing, situation
respondeo -ere -spondi -sponsum	reply
respublica, reipublicae *f.*	state, public affairs
restituo -ere -stitui -stitutum	restore
retineo -ere -tinui -tentum	retain
retracto -are	hold back

revertor -i -versus	turn back, come back; *pf.* (*act.* in form), reverti, isti, etc.
revoco -are	call back, recall, call away
rex -gis *m.*	king
Rhenus -i *m.*	the Rhine
Rhodanus -i *m.*	the Rhone
ridiculus -a -um	ridiculous
ripa -ae *f.*	bank
risus -us *m.*	laughter
robustus -a -um	strong
rogo -are	ask
Romanus	Roman
rumor -oris *m.*	rumour, good report
rursus	again

S

Sabidius *m.*	Sabidius
sacer -cra -crum	sacred, accursed
saeculum -i *n.*	age, century, generation
saepe	often
saevio -ire	grow wild; freshen (of the wind)
sal salis *m.*	salt; wit
salus -tis *f.*	safety
sanitas -tatis *f.*	health
sapiens -entis	wise
sapientia -ae *f.*	wisdom
satis	enough
saxum -i *n.*	rock
scelus -eris *n.*	crime
schola -ae *f.*	school
scientia -ae *f.*	knowledge
scio -ire	know, recognise
scribo -ere -psi -ptum	write
scutum -i *n.*	shield
se (sese *or* semet)	him(her)self
secundus -a -um	second
securus -a -um	free from care

secus	otherwise ; non secus, like-wise
sed	but
sedes -is *f.*	seat, home
semel	once
semisomnus -a -um	half asleep
semita -ae *f.*	path
semper	always
senatus -us *m.*	senate
senectus -tutis *f.*	old age
senex senis *m.*	old man
sensus -us *m.*	sense, feeling
sentio -ire sensi sensum	feel, perceive ; *partic.* sensum, what we feel, something felt
separatus -a -um	marked off, separate
septem	seven
septuaginta	seventy
Sequani -orum *m.*	the Sequani
serius -a -um	serious ; seria conferre, have serious talk
sermo -onis *m.*	speech
sero -ere sevi satum	sow, plant
servitus -tutis *f.*	slavery
servo -are	preserve (carefully), keep
si	if
sic	so
signum -i *n.*	signal
silva -ae *f.*	wood, forest
simul	at the same time
simulac	as soon as
sine *prep.* + *abl.*	without
singuli -ae -a (*pl.*)	one each
sino -ere sivi situm	allow
sive . . . sive	whether . . . or (conditional)
sol solis *m.*	sun
soleo -ēre solitus sum	be accustomed
solitudo -dinis *f.*	solitude, wilderness
solum -i *n.*	soil
solus -a -um	sole, only, alone

sonitus -us *m.*	sound
sordidus -a -um	mean, vulgar
spatium -i *n.*	space (of time or distance)
spectaculum -i *n.*	spectacle, show
spero -are	hope
spes spei *f.*	hope, promise
spiculum -i *n.*	point, spear
splendidus -a -um	splendid, distinguished
statim	immediately
statuo -ere -ui -utum	determine
sto -are steti statum	stand ; (with *abl.*), rest on
strepitus -us *m.*	noise
studeo -ēre + *dat.*	am eager for
studium -i *n.*	study, pursuit, eagerness
suavis -is -e	sweet
sub *prep.* + *abl.* and *acc.*	under ; sub vesperum, towards evening
subito	suddenly
summus -a -um	uttermost, highest, greatest, the top of
sumo -ere sumpsi sumptum	take, take up
superior -ius	upper
supero -are	be victorious, overcome, conquer
surgo -ere surrexi surrectum	rise
suscipio -ere -cepi -ceptum	undertake
suspicio -onis *f.*	suspicion
sustineo -ēre -tinui -tentum	sustain
suus -a -um	his, her, its own (*reflexive adjective*)

T

taberna -ae *f.*	hovel, garret
tabula -ae *f.*	tablet, picture, slate
tacitus -a -um	silent
talis -is -e	such
tam	so
tamen	nevertheless
Tamesis -is *m.*	the Thames

tantum	only
tantus -a -um	so great
tardus -a -um	late, slow
tecum	with you
telum -i *n.*	dart, weapon
temperatus -a -um	temperate, restrained
tempestas -tatis *f.*	storm
tempus -oris *n.*	time, occasion, circumstance
teneo -ēre -ui tentum	hold
tergum -i *n.*	back ; terga vertere, flee
terra -ae *f.*	land, ground
tertius -a -um	third
theatrum -i *n.*	theatre
timeo -ēre	fear
timidus -a -um	fearful
timor -oris *m.*	fear
tot	so many
totus -a -um	whole
traho -ere traxi tractum	draw, draw on
trano -are	swim across
tranquillus -a -um	quiet, peaceful, placid
trans *prep.* + *acc.*	across
Transalpinus -a -um	beyond the Alps
transeo -ire -ii -itum	cross
tristis -is -e	sad, gloomy
tristitia -ae *f.*	sadness, gloominess
tu	you
tum, tunc	then, thereupon
tumultus -us *m.*	uproar, rising, tumult
tumulus -i *m.*	rising ground, hill, hillock
tunc	then, thereupon
turpis -is -e	disgraceful, ugly
turris -is *f.*	tower, castle
tussio -ire	cough
tussis -is *f.*	cough
tutor -ari	protect ; sometimes *passive*, be protected
tutus -a -um	safe ; *adv.* tuto, safely ; *comp.* -tutius
tuus -a -um	your

U

ubi	where, when
ullus -a -um	any
ultimus -a -um	last, furthest, final
unde	whence
undique	from every side
unicus -a -um	only, unique
unquam	ever
unus -a -um	one
urbs -is *f.*	city
urgeo -ēre ursi	press
usque ad . . .	right up to
usus -us *m.*	use, practice
ut, uti	as, when, though, so that
uter -tra -trum	which of two
utor -i usus + *abl.*	use

V

vadum -i *n.*	shallow water
vagor -ari	wander, roam abroad
valeo -ēre	be strong, be in good health, be of value
valetudo -inis *f.*	health
vallum -i *n.*	rampart
vastus -a -um	huge, vast
-ve	or
vel	or ; even
velox -ocis	swift
Veneti -orum *m.*	the Veneti
venio -ire veni ventum	come
ventus -i *m.*	wind
verber -eris *n.*	blow
verbum -i *n.*	word, verb
vero	however, but, in truth
versifico -are	make verses
versor -ari	be engaged in, busy oneself
verto -ere verti versum	turn
verus -a -um	true ; *n.* verum, the truth

vesper -eris *and* -eri *m.*	evening
sub vesperum	towards evening
vestigium -i *n.*	footprint, step, track, trace
vestio -ire	clothe
vestitus -us *m.*	clothing
veto -are vetui vetitum	forbid
via -ae *f.*	way
viator -oris *m.*	traveller, wayfarer
vicem -is *f.*	change ; in vicem, in turn
victor -oris *m.*	conqueror
victoria -ae *f.*	victory
video -ēre vidi visum	see ; *pass.* videor, seem
vinco -ere vici victum	conquer
vinea -ae *f.*	vineyard
vir viri *m.*	man
vires -ium (*pl.*) *f.*	strength
virtus -utis *f.*	virtue
vis *f.*	force, quantity
viso -ere visi visum	visit, see
vita -ae *f.*	life
vitiosus -a -um	faulty
vitis -is *f.*	vine
vitium -i *n.*	fault
vito -are	avoid
vitrum -i *n.*	woad
vivo -ere vixi victum	live
voco -are	call
volatilis -is -e	flying
volo -are	fly
volo velle volui	wish, will
volubilis -is e	rolling
volucris -cris -cre	winged ; *f.* a bird
voluntas -tatis *f.*	will, wish, desire
vox vocis *f.*	voice, word
vulgus -i *n.*	crowd, common people
vulnero -are	wound

PART II

Out of the frying-pan into the fire

1. Incidit in Scyllam qui vult vitare Charybdim.

> *A haughty courtier meeting in the street*
> *A scholar, him did insolently greet :*
> *' Base men to take the wall I ne'er permit ' ;*
> *' I do,' the scholar said, and gave him it.*

2. Vir quidam nobilis in litore maris ambulabat.
   Occurrit homo importunus eiusque latus percutiens :
   ' Non ego,' inquit, ' cuilibet fatuo decedere soleo !
   ' At ego soleo,' inquit alter, et decedit.

3. An di sint caelumque regant ne quaere doceri ;
   cum sis mortalis, quae sunt mortalia cura.

4. Quid deus intendat noli perquirere sorte ;
   quid statuat de te sine te deliberat ille.

The Nelson Touch

5. Ne ea signa audiamus, quae receptui canunt.

6. Difficile est, fateor, sed tendit in ardua virtus.

It is more blessed to give than to receive

7. Quod si permittis nobis suadere quid optes,
       ut des quam reddas plura precare deos.

Reddas, repay ; *precare*, second pers. sing. imperat. of *precor*.

8. Quas dederis solas semper habebis opes.

9. Novistine locum potiorem rure beato ?
   est ubi plus tepeant hiemes ? ubi gratior aura
   leniat ?

10. Ego vero ' in patrios montes et ad incunabula nostra '
    pergam.   Si solus non potuero, cum rusticis potius
    esse quam cum perurbanis malo.

11. Callidus imposuit nuper mihi caupo Ravennae ;
    cum peterem mixtum vendidit ille merum.

12. Omnibus hoc vitium cantoribus, inter amicos
    ut nunquam inducant animum cantare rogati :
    iniussi numquam desistant.

13. Non exercitus neque thesauri praesidia regni sunt,
    sed amici, quos neque armis cogere neque auro parare
    queas ; officio et fide pariuntur.

Advancing age

14.   Iam mihi deterior canis aspergitur actas,
            iamque meos vultus ruga senilis arat.
         iam vigor et quasso languent in corpore vires,
            nec, iuveni lusus qui placuere, placent.
                  Canis, i.e., grey hairs.

Periods of rest essential

15.   Cernis ut in duris—et quid bove firmius ?—arvis
            fortia taurorum corpora frangat opus,
         Quae numquam vacuo solita est cessare novali,
            fructibus assiduis lassa senescit humus.
         Firma sit illa licet, solvetur in aequore navis,
            quae numquam liquidis sicca carebit aquis.
                  Sicca, i.e., in dry dock.

16.   Otia corpus alunt, animus quoque pascitur illis ;
            immodicus contra carpit utrumque labor.
         Quod caret alterna requie durabile non est ;
            haec reparat vires fessaque membra novat.

The weather not so bad after all

17.   Nulla dies adeo est australibus umida nimbis
            non intermissis ut fluat imber aquis.
         Si numeres anno soles et nubila toto
            invenics nitidum saepius esse diem.

18. E Lacedaemoniis unus cum Perses hostis in colloquio dixisset glorians ' Solem prae iaculorum multitudine et sagittarum non videbitis,' ' In umbra igitur ' inquit ' pugnabimus.'

19. Leonidas, cum dicerentur Persae sagittarum multitudine nubes esse facturi, fertur dixisse ; ' Melius in umbra pugnabimus.'

   Fertur with inf., ' he is said to . . . ' ;   English commonly says ' it is said that he . . . '

20. Pyrrhus dilectatori suo fertur dixisse ' tu grandes elige, ego eos fortes reddam.'

Treacherous Spring

21. Veris erim dubitanda fides ; modo fronte serena
    blandius arrisit, modo cum caligine nimbos
    intulit et miseras torrentibus abstulit agnas.

Value of example or hero-worship

22. Aliquis vir bonus nobis diligendus est ac semper ante oculos habendus, ut tamquam illo spectante vivamus.

23. Avaritia pecuniae studium habet, quam nemo sapiens concupivit ; ea quasi venenis malis imbuta corpus animumque virilem effeminat ; semper infinita, insatiabilis est, neque copia neque inopia minuitur.

24. Horae quidem cedunt et dies et anni, nec praeteritum tempus umquam revertitur, nec quid sequatur sciri potest ; quod cuique temporis ad vivendum datur, eo debet esse contentus.

   Quod temporis, ' the length of time ' ; partitive genitive.

25. O mihi praeteritos referat si Iuppiter annos !

26. Lacaena cum filium in proelium misisset et interfectum audisset ' idcirco ' inquit ' genueram, ut esset qui pro patria mortem non dubitaret occumbere.'

27. Anaxagoras, cum Lampsaci moreretur, quaerentibus amicis num vellet in patriam auferri ' nihil necesse

est ' inquit ' undique enim ad inferos tantundem viae est.'

Tantundem viae, the same length of journey; cf., *quod temporis* in No. 24.

28. Leniter, ex merito quidquid patiare, ferendum est ; quae venit indigno poena, dolenda venit.
29. Facientibus iter multum detrahunt fatigationis notata inscriptis lapidibus spatia. Nam et exhausti nosse mensuram voluptati est et hortatur ad reliqua fortius exsequenda scire quantum supersit.

Live every day as if your last

30. Inter spem curamque, timores inter et iras omnem crede diem tibi diluxisse supremum. grata superveniet, quae non sperabitur hora.

31. *La Donna e mobile*

Crede ratem ventis, animum ne crede puellis ; namque est feminea tutior unda fide. femina nulla bona est ; vel, si bona contigit una, nescio quo fato est res mala facta bona.

Nescio quo fato, by some lucky chance.

32. Consules fiunt quotannis et novi proconsules ; solus aut rex aut poeta non quotannis nascitur.
33. In pueris elucet spes plurimorum, quae cum emoritur aetate, manifestum est non naturam defecisse, sed curam.

Well begun, half done

34. Dimidium facti qui coepit habet ; sapere aude ; incipe. qui recte vivendi prorogat horam, rusticus exspectat dum defluat amnis ; at ille labitur et labetur in omne volubilis aevum.

35. Nihil aeque gratum est adeptis quam concupiscentibus.
36. Aranti L. Quinctio Cincinnato nuntiatum est eum dictatorem esse factum. Cuius iussu magister

equitum Sp. Maelium regnum appetentem occupatum
interemit.

A crow helps a Roman David against a Gallic Goliath

37. Dux Gallorum, vasta et ardua proceritate armisque
auro praefulgentibus, grandia ingrediens incedebat,
perque contemptum et superbiam circumspiciens
despiciensque omnia, venire iubet si quis pugnare
secum ex omni Romano exercitu auderet. Tum
Valerius, tribunus, ceteris inter metum pudoremque
ambiguis, progreditur intrepide modesteque obviam ;
et congrediuntur et consistunt et conserebantur iam
manus. Atque ibi vis quaedam divina fit : corvus
repente improvisus advolat et super galeam tribuni
insistit atque inde in adversarii os atque oculos
pugnare incipit. insiliebat, obturbabat, et unguibus
manum laniabat, et ubi satis saevierat, revolabat in
galeam tribuni. Sic tribunus, spectante utroque
exercitu, et sua virtute nixus et opera alitis pro-
pugnatus, ducem hostium ferocissimum vicit inter-
fecitque atque ob hanc causam cognomen habuit
Corvinum.

Pompeius calls on the philosopher Posidonius when he is ill

38. Pompeius cum Rhodum venisset decedens ex Syria
audire voluit Posidonium, sed cum audivisset eum
graviter aegrum esse voluit tamen nobilissimum
philosophum visere : quem ut vidit molesteque se
dixit ferre quod non posset audire, at ille ' tu vero '
inquit ' potes ; nec committam ut dolor corporis
efficiat ut frustra tantus vir ad me venerit.'

Theramenes drinks his last toast

39. Quam me delectat Theramenes ! qui cum coniectus in
carcerem venenum ut sitiens obduxisset, reliquum sic
e poculo eiecit ut id resonaret ; quo sonitu reddito

arridens 'Propino' inquit 'hoc pulchro Critiae,'—qui
in eum fuerat taeterrimus—, Graeci enim in conviviis
solent nominare cui poculum tradituri sint.   Lusit
vir egregius extremo spiritu.

The effects of a dinner party with Plato

40. Timotheum, clarum hominem Athenis et principem
civitatis, ferunt, cum cenavisset apud Platonem
eoque convivio admodum delectatus esset vidissetque
eum postridie, dixisse: 'Vestrae quidem cenae non
solum in praesentia sed etiam postero die iucundae
sunt.   Quod ne mente quidem uti possumus multo
cibo et potione completi.'

Hamilcar's dream fulfilled

41. Apud Agathoclem scriptum in historia est Hamil-
carem, cum oppugnaret Syracusas, visum esse audire
vocem, se postridie cenaturum esse Syracusis.   Cum
autem is dies illuxisset, magnam seditionem in
castris eius inter Poenos et Siculos milites esse
factum ; quod cum sensissent Syracusani, improviso
eos in castra irrupisse, Hamilcaremque ab eis vivum
esse sublatum.   Ita res somnium comprobavit.

The Lion's Share

42.   Vacca et capella et patiens ovis iniuriae
       socii fuere cum leone in saltibus.
       Hi cum cepissent cervum vasti corporis,
       sic est locutus partibus factis leo :
       'Ego primam tollo, nominor quoniam leo ;
       secundam, quia sum consors, tribuetis mihi ;
       tum, quia plus valeo, me sequetur tertia ;
       malo adficietur si quis quartam tetigerit ! '
       Sic totam praedam sola improbitas abstulit.

       Primam = primam partem.

A frog bursts itself

43.　　　In prato quondam rana conspexit bovem,
　　　et, tacta invidia tantae magnitudinis,
　　　rugosam inflavit pellem ; tum natos suos
　　　interrogavit an bove esset latior.
　　　Illi negarunt.　Rursus intendit cutem
　　　maiore nisu, et simili quaesivit modo,
　　　quis maior esset.　Illi dixerunt bovem.
　　　Novissime indignata, dum vult validius
　　　inflare sese, rupto iacuit corpore.

Horatius kills his sister for grieving at the death of her lover

44. Ita exercitus inde domos abducti.　Princeps Horatius
ibat, trigemina spolia prae se gerens ; cui soror virgo,
quae desponsa uni ex Curiatiis fuerat, obvia ante
portam Capenam fuit, cognitoque super umeros
fratris paludamento sponsi, quod ipsa confecerat,
solvit crines et flebiliter nomine sponsum mortuum
appellat.　Movet feroci iuveni animum comploratio
sororis in victoria sua tantoque gaudio publico.
Stricto itaque gladio simul verbis increpans transfigit
puellam : ' Abi hinc cum immaturo amore ad
sponsum,' inquit, ' oblita fratrum mortuorum vivique,
oblita patriae.'

The accession of Servius after the death of Tarquinius

45. Cum clamor impetusque multitudinis vix sustineri
posset, ex superiore parte aedium per fenestras,
populum Tanaquil adloquitur.　Iubet bono animo
esse ; sopitum fuisse regem subito ictu ; ferrum haud
alte in corpus descendisse ; iam ad se redisse ;
inspectum vulnus absterso cruore ; omnia salubria
esse ; confidere propediem ipsum eos visuros ;
interim Ser. Tullio iubere populum dicto audientem
esse ; eum iura redditurum obiturumque alia regis
munia esse.

Servius sede regia sedens alia decernit, de aliis
consulturum se regem esse simulat. Itaque per
aliquot dies cum iam exspirasset Tarquinius celata
morte suas opes firmavit; tum demum palam
factum est comploratione in regia orta. Servius
praesidio firmo munitus primus iniussu populi
voluntate patrum regnavit.

Time can soften everything except Ovid's grief

46. Tempore ruricolae patiens fit taurus aratri,
       praebet et incurvo colla premenda iugo ;
     tempore paret equus lentis animosus habenis,
       et placido duros accipit ore lupos ;
     tempore Poenorum compescitur ira leonum,
       nec feritas animo, quae fuit ante, manet,
     tempus item saevas paullatim mitigat iras ;
       hoc minuit luctus maestaque corda levat.
     Cuncta potest igitur tacito pede lapsa vetustas
       praeterquam curas attenuare meas.

The stories told by the Greeks on their return from Troy

47. Argolici rediere duces, altaria fumant ;
       ponitur ad patrios barbara praeda deos.
     grata ferunt nymphae pro salvis dona maritis ;
       illi victa suis Troica fata canunt.
     Atque aliquis posita monstrat fera proelia mensa,
       pingit et exiguo Pergama tota mero :
     ' Hac ibat Simois ; haec est Sigeia tellus ;
       hic steterat Priami regia celsa senis ;
     illic Aeacides, illic tendebat Ulixes ;
       hic lacer admissos terruit Hector equos.'

[l.10] Hector : Achilles dragged the body of the slain Hector
round the walls of Troy behind his chariot.

Tit for Tat

48. Nasica, cum ad portam Ennii venisset eique ab ostio
    quaerenti Ennium ancilla dixisset domi non esse,

sensit illam domini iussu dixisse et illum intus esse.
Paucis post diebus, cum ad Nasicam venisset Ennius
et eum a ianua quaereret, exclamat Nasica se domi
non esse.   Tum Ennius, ' Quid ? ' inquit ' ego non
cognosco vocem tuam ? '   Hic Nasica respondit :
' Homo es impudens. ego cum te quaererem, ancillae
tuae credidi te non domi esse : tu mihi non credis
ipsi ? '

How the head of a statue was found in the Tiber

49. Cum Summanus in fastigio Iovis Optimi Maximi e
caelo ictus esset nec usquam eius simulacri caput
inveniretur, haruspices in Tiberim id depulsum esse
dixerunt ; idque inventum est eo loco qui est ab
haruspicibus demonstratus.

Summanus, the terracotta statue of the deity of the night, who
was held responsible for lightning.

Storm at sea

50.   Me miserum, quanti montes volvuntur aquarum !
           iam iam tacturos sidera summa putes ;
       quantae diducto subsidunt aequore valles !
           iam iam tacturas Tartara nigra putes.
       Quocumque aspicio, nihil est nisi pontus et aer,
           fluctibus hic tumidus, nubibus ille minax.
       inter utrumque fremunt immani murmure venti.
           nescit, cui domino pareat, unda maris.
       Nam modo purpureo vires capit Eurus ab ortu,
           nunc Zephyrus sero vespere missus adest,
       nunc sicca gelidus Boreas bacchatur ab Arcto,
           nunc Notus adversa proelia fronte gerit.
       Rector in incerto est nec quid fugiatve petatve
           invenit : ambiguis ars stupet ipsa malis.

Eurus, E. wind ;   *Zephyrus*, W. wind ;   *Notus*, S. wind ;   *Boreas*,
N. wind.

The Reward of Philosophy

51. Xenocrates, nobilis in primis philosophus, cum

quaereretur quid adsequerentur eius discipuli,
respondit, ut id sua sponte facerent quod alii
cogerentur facere legibus.

Ovid's illness in exile at Tomi

52. Haec mea si casu miraris epistula quare
      alterius digitis scripta sit, aeger eram.
     aeger in extremis ignoti partibus orbis,
      incertusque meae paene salutis eram.
     Nec caelum patior, nec aquis adsuevimus istis,
      terraque nescioquo non placet ipsa modo.
     Non qui soletur, non qui labentia tarde
      tempora narrando fallat, amicus adest.

[1.2] *Eram*, Epistolary imp. (tr. ' I am '), to express the reader's
rather than the writer's attitude.

Q. Fabius Cunctator

53. Unus homo nobis cunctando restituit rem :
     non enim rumores ponebat ante salutem.

Fabius burns his boats

54. Fabius Maximus adversus Hannibalem, successibus
     proeliorum insolentem, recedere ab ancipiti discrimine
     et tueri tantummodo Italiam constituit, Cuncta-
     torisque nomen et per hoc summi ducis meruit.

55. Fabius Maximus veritus ne qua fiducia navium, ad
     quas refugium erat, minus constanter pugnaret
     exercitus, incendi eas, priusquam iniret proelium,
     iussit.

Ovid remembers the day he went into exile

56. Cum subit illius tristissima noctis imago,
      qua mihi supremum tempus in urbe fuit,
     cum reputo noctem, qua tot mihi cara reliqui,
      labitur ex oculis nunc quoque gutta meis.

iam prope lux aderat, qua me discedere Caesar
   finibus extremae iusserat Ausoniae.
nec spatium nec mens fuerat satis apta parandi :
   torpuerant longa pectora nostra mora.

[l.6] *Ausonia*, Italy ;   [l.7] *apta*, n. acc. pl., obj. of *parandi*.

His wife pleads to go with him

57. Tum vero exoritur clamor gemitusque meorum,
        et feriunt maestae pectora nuda manus ;
     tum vero coniunx umeris abeuntis inhaerens
        miscuit haec lacrimis tristia verba meis :
     'Non potes avelli. simul hinc, simul ibimus ' inquit
        ' te sequar et coniunx exulis exul ero.
     te iubet e patria discedere Caesaris ira,
        me pietas. pietas haec mihi Caesar erit.'

Persephone carried off while gathering flowers

58. Persephone, solitis ut erat comitata puellis,
        errabat nudo per sua prata pede.
     Valle sub umbrosa locus est aspergine multa
        uvidus ex alto desilientis aquae.
     Tot fuerant illic, quot habet natura colores,
        pictaque dissimili flore nitebat humus.
     Quam simul aspexit, ' Comites, accedite ' dixit
        ' et mecum plenos flore referte sinus.'
     Carpendi studio paullatim longius itur,
        et dominam casu nulla secuta comes.
     Hanc videt et visam patruus velociter aufert,
        regnaque caeruleis in sua portat equis.

[l.9] *Itur*, impers. use of pass, 'it is gone,' i.e., she goes
[l.11] *patruus*, i.e., Pluto.

Hannibal's device for getting elephants over a river

59. Hannibal, cum in praealti fluminis transitum
elephantos non posset compellere nec navium aut
materiarum, quibus rates construerentur, copiam
haberet, iussit ferocissimum elephantum sub aurem

vulnerari et eum qui vulnerasset tranato statim
flumine procurrere. Elephantus exasperatus ad
persequendum doloris sui auctorem tranavit amnem
et reliquis idem audendi fecit exemplum.

Maharbal turns the enemy's weakness for wine to good account

60. Maharbal missus a Carthaginiensibus adversus Afros
rebellantes, cum sciret gentem avidam esse vini,
magnum eius modum mandragora permiscuit, cuius
inter venenum ac soporem media vis est. Tum
proelio levi commisso ex industria cessit. Nocte
deinde intempestiva relictis intra castra quibusdam
sarcinis et omni vino infecto fugam simulavit ;
cumque barbari occupatis castris in gaudium effusi
avide medicatum vinum hausissent et in modum
defunctorum strati iacerent, reversus aut cepit eos
aut trucidavit.

[l.3] *Modum*, ' measure ' ; [l.9] *in modum*, in the manner of . . .

How Himilco concealed his destination

61. Himilco, dux Poenorum, ut in Siciliam inopinatus
appelleret classem, non pronuntiavit quo proficis-
ceretur, sed tabellas, in quibus scriptum erat quam
partem peti vellet, universis gubernatoribus dedit
signatas praecepitque ne quis legeret nisi vi tempestatis
a cursu praetoriae navis abductus.

Tarquinius' secret message

62. Tarquinius Superbus pater, principes Gabiniorum
interficiendos arbitratus, quia hoc nemini volebat
commissum, nihil nuntio respondit, qui ad eum a
filio erat missus ; tantum virga eminentia papaverum
capita, cum forte in horto ambularet, decussit.
Nuntius sine responso reversus renuntiavit adulescenti

Tarquinio quid agentem patrem vidisset. Ille
intellexit idem esse eminentibus faciendum.

[l.8] *Faciendum*, ' should be done to . . . '

Cimon disguises his men in the clothes of his captives

63. Cimon, dux Atheniensium, victa classe Persarum
apud insulam Cyprum, milites suos captivis armis
induit et eisdem barbarorum navibus ad hostem
navigavit in Pamphyliam apud flumen Eurymedonta.
Persae qui et navigia et habitum superstantium
agnoscerent, nihil caverunt. Subito itaque oppressi
eodem die et navali et pedestri proelio victi sunt.

A stab in the back

64. Melanthius, dux Atheniensium, cum provocatus a
rege hostium Xantho Boeotio descendisset ad pugnam,
ut primum comminus stetit, ' Inique ' inquit ' Xanthe,
et contra pactum facis ; adversus me solum enim cum
altero processisti.' Cumque ille admiratus quisnam
se comitaretur respexisset, aversum uno ictu confecit.

To Dawn

65.   Ante tuos ortus melius sua sidera servat
         navita, nec media nescius errat aqua ;
      te surgit quamvis lassus veniente viator,
         et miles saevas aptat ad arma manus.
      Prima bidente vides oneratos arva colentes ;
         prima vocas tardos sub iuga panda boves.
      Tu pueros somno fraudas tradisque magistris,
         ut subeant tenerae verbera saeva manus.

The immortality of poetry

66. Mortale est, quod quaeris, opus. mihi fama perennis
         quaeritur, in toto semper ut orbe canar.
      Vivet Maeonides, Tenedos dum stabit et Ida,
         dum rapidus Simois in mare volvet aquas ;
      vivet et Ascraeus, dum mustis uva tumebit,
         dum cadet incurva falce resecta Ceres.

Carmina sublimis tunc sunt peritura Lucreti,
  exitio terras cum dabit una dies ;
Tityrus et segetes Aeneiaque arma legentur,
  Roma triumphati dum caput orbis erit.

The references are to Homer, Hesiod, Lucretius and Vergil.

How Heracles detected that Cacus had stolen his cattle

67.   Mane erat : excussus somno Tirynthius actor
  de numero tauros sentit abesse duos.
nulla videt quaerens taciti vestigia furti :
  traxerat aversos Cacus in antra ferox,
Cacus, Aventinae timor atque infamia silvae,
  non leve finitimis hospitibusque malum.
dira viro facies, vires pro corpore, corpus
  grande ; pater monstri Mulciber huius erat.

[l.1] *Tirynthius*, a title of Heracles [the man from Tiryns] ;   [l.8]
Mulciber, Vulcan.

His vengeance

68.   Servata male parte boum Iove natus abibat :
  mugitum rauco furta dedere sono.
' Accipio revocamen ' ait, vocemque secutus
  impia per silvas ultor ad antra venit.
Prima movet Cacus collata proelia dextra
  remque ferox saxis stipitibusque gerit.
Occupat Alcides, adductaque clava trinodis
  ter quater adverso sedit in ore viri.
Ille cadit mixtosque vomit cum sanguine fumes
  et lato moriens pectore plangit humum.

[l.1] *Servata male*, ' ill preserved,' i.e., ' lost.'   [l.7] *Alcides*
[the descendant of Alceus], i.e., Heracles.

Write, write, Orlando, write on every tree
The fair, the chaste, the unexpressive she

69. Saepe greges inter requievimus arbore tecti,
  mixtaque cum foliis praebuit herba torum ;
Incisae servant a te mea nomina fagi,
  et legor OENONE falce notata tua.

popule, vive, precor, quae consita margine ripae
hoc in rugoso cortice carmen habes :
CUM PARIS OENONE POTERIT SPIRARE
   RELICTA.
AD FONTEM XANTHI VERSA RECURRET
   AQUA.

They have their reward

70. Omnibus qui patriam conservaverint, adiuverint,
auxerint, scito certum esse in caelo definitum locum,
ubi beati aevo sempiterno fruantur ; nihil est enim
illi principi deo, qui omnem mundum regit, acceptius
quam concilia coetusque hominum iure sociati, quae
civitates appellantur : harum rectores et conservatores
hinc profecti huc revertuntur.

Ariadne deserted

71. Nunc huc, nunc illuc, et utroque sine ordine curro ;
   alta puellares tardat harena pedes.
Interea toto clamanti litore ' Theseu '
   reddebant nomen concava saxa tuum.
Mons fuit : apparent frutices in vertice rari ;
   hinc scopulus raucis pendet adesus aquis.
Ascendo (vires animus dabat) atque ita late
   aequora prospectu metior alta meo.
Inde ego (nam ventis quoque sum crudelibus usa)
   vidi praecipiti carbasa tenta Noto.

Scipio's Interview with Masinissa

72. Cum in Africam venissem M. Manilio consuli tribunus,
ut scitis, militum nihil mihi fuit potius quam ut
Masinissam convenirem regem, familiae nostrae
iustis de causis amicissimum. Ad quem ut veni,
complexus me senex conlacrimavit aliquantoque post
suspexit ad caelum et ' grates ' inquit ' tibi ago,
summe Sol, vobisque, reliqui caelites, quod antequam
ex hac vita migro, conspicio in meo regno et his

tectis P. Cornelium Scipionem, cuius ego nomine ipso
recreor ; itaque numquam ex animo meo discedit
illius optimi atque invictissimi memoria.'

[1.4] *ut*, when.

Scipio's dream—his vision of Carthage

73. Deinde ego illum de suo regno, ille me de nostra
republica percontatus est, multisque verbis ultro
citroque habitis ille nobis consumptus est dies.

Deinde ut cubitum discessimus me de via fessum
artior quam solebat somnus complexus est. Hic
mihi Africanus se ostendit ea forma quae mihi ex
imagine eius quam ex ipso erat notior : quem ut
agnovi, equidem cohorrui, sed ille ' ades ' inquit
' animo et omitte timorem, Scipio, et quae dicam
trade memoriae.'

[1.1] *Suo*, use of the reflexive adjective, referring not to the subject,
but to a person prominent in the sentence.

74. ' Videsne illam urbem, quae, parere populo Romano
coacta per me, renovat pristina bella nec potest
quiescere'—(ostendebat autem Karthaginem de excelso
loco)—' ad quam tu oppugnandam nunc venis ?
Hanc hoc biennio consul evertes, eritque cognomen
id tibi per te partum, quod habes adhuc a nobis
hereditarium. Cum autem Karthaginem deleveris,
triumphum egeris censorque fueris, deligere iterum
consul absens bellumque maximum conficies,
Numantiam exscindes. Sed cum eris curru in
Capitolium invectus, offendes rempublicam consiliis
perturbatam nepotis mei.'

[1.8] *Deligēre*, second pers. sing. future pass ;   [1.12] *Nepos*, Tiberius
Gracchus.

Early life of Romulus

75. Romulus, patre Marte natus, cum Remo fratre
dicitur ab Amulio, rege Albano, ob labefactandi regni

timorem ad Tiberim exponi iussus esse ; quo in loco
cum esset silvestri belua sustentatus pastoresque eum
sustulissent et in agresti cultu laboreque aluissent,
perhibetur, ut adoleverit, et corporis viribus et animi
ferocitate tantum ceteris praestitisse ut omnes aequo
animo libenterque illi parerent. Quorum copiis cum
se ducem praebuisset, oppressisse Longam Albam
Amuliumque regem interemisse fertur.

Why Romulus did not build Rome on the sea-coast

76. Qua gloria parta urbem condere dicitur primum
cogitavisse. Urbi autem locum incredibili opportunitate delegit. neque enim ad mare admovit
neque in ostio Tiberino urbem condidit, sed excellenti
providentia hoc sensit, non esse opportunissimos situs
maritimos urbibus eis quae ad spem diuturnitatis
conderentur atque imperii, quod essent urbes maritimae non solum multis periculis oppositae sed etiam
caecis. Navalis enim hostis adesse potest antequam
quisquam venturum esse suspicetur.

A general explains an eclipse of the moon

77. Memini me admodum adulescentulo, cum essemus in
castris, perturbari exercitum nostrum religione et
metu quod serena nocte subito candens et plena luna
defecisset. C. Sulpicius Gallus, legatus noster, haud
dubitavit postridie palam in castris docere nullum
esse prodigium, idque et tum factum esse et certis
temporibus esse semper futurum, cum sol ita locatus
fuisset ut lunam suo lumine non posset attingere.
Itaque hominibus perturbatis inanem religionem
timoremque deiecit.

A dastardly assassination

78. Post diem tertium circiter hora decima noctis P.
Postumius, familiaris eius, ad me venit et mihi

nuntiavit M. Marcellum, collegam nostrum, post cenae tempus a P. Magio Cilone, familiare eius, pugione percussum esse et duo vulnera accepisse, unum in stomacho, alterum in capite secundum aurem; sperare tamen se eum vivere posse; Magium se ipsum interfecisse postea; se a Marcello ad me missum esse, qui haec nuntiaret et rogaret ut medicos ei mitterem. Itaque medicos coegi et e vestigio eo sum profectus prima luce.

79. Cum non longe a Piraeo abessem, puer obviam mihi venit cum codicillis, in quibus erat scriptum paullo ante lucem Marcellum diem suum obiisse. Ita vir clarissimus ab homine taeterrimo acerbissima morte est affectus. Ego tamen ad tabernaculum eius perrexi. Inveni duos libertos et pauculos servos; reliquos aiebant profugisse metu perterritos. Coactus sum in eadem lectica, qua ipse delatus eram, in urbem eum referre ibique funus ei satis amplum faciendum curavi.

> *Curare* with acc. and gerundive, ' have a thing done.'

Cicero describes how he spends his day

80. Haec est nunc vita nostra. Mane salutamus domi et bonos viros multos, sed tristes, et hos laetos victores; qui me quidem perofficiose et peramanter observant. Ubi salutatio defluxit, litteris me involvo, aut scribo aut lego. Veniunt etiam quia me audiunt quasi doctum hominem, qui paulo sum quam ipsi doctior. Inde corpori omne tempus datur.

Cura ut valeas: id foris cenitando facillime consequere. Convivio delector; ibi loquor et gemitum in risus maximos transfero. Sic igitur vivitur: quotidie aliquid legitur aut scribitur; dein, ne amicis nihil tribuamus, epulamur una.

Warning of the presence of the Gauls given by the geese

81.   In summo custos Tarpeiae Manlius arcis
       stabat pro templo et Capitolia celsa tenebat,
       atque hic auratis volitans argenteus anser
       porticibus Gallos in limine adesse canebat.
       Galli per dumos aderant, arcemque tenebant,
       defensi tenebris et dono noctis opacae.

Vergil will be read as long as Rome stands

82.   Si quid mea carmina possunt
       nulla dies unquam memori vos eximet aevo,
       dum domus Aeneae Capitoli immobile saxum
       accolet imperiumque pater Romanus habebit.

[1.2] *Eximet*, in Latin verbs of ' taking away from ' are followed
by a dative [of disadvantage].

*Rumours in Rome of the war in Britain and its possible
spoils*

83. Britannici belli exitus exspectatur ; constat enim
    aditus insulae esse muratos mirificis molibus.   Etiam
    illud iam cognitum est, neque argenti scripulum esse
    ullum in illa insula neque ullam spem praedae nisi ex
    mancipiis ; ex quibus nullos puto te litteris aut
    musicis eruditos exspectare.

The drawbacks of voting by ballot

84. Scripseram tibi verendum esse ne ex tacitis suffragiis
    vitium aliquod exsisteret.   Factum est ; proximis
    comitiis in quibusdam tabellis multa iocularia atque
    etiam foeda dictu inventa sunt.   Tantum licentiae
    pravis ingeniis adicit illa fiducia : quis enim sciet ?

*Pliny finds great pleasure in choosing a schoolmaster for a
friend's children*

85. Quid a te iucundius mihi potuit iniungi quam ut
    praeceptorem fratris tui liberis quaererem ?   Nam
    beneficio tuo in scholam redeo, illam dulcissimam

aetatem quasi resumo; sedeo inter iuvenes ut
solebam. Cum omnes qui profitentur audiero, quid
de quoque sentiam scribam efficiamque, quantum
tamen epistula potero, ut ipse omnes audisse videaris.

The Gordian Knot

86. Gordium nomen est urbi, quam Sangarius amnis
praeterfluit. Alexander urbe in dicionem suam
redacta Iovis templum intrat. Notabilis erat gladius
adstrictus compluribus nodis in semet ipsos implicatis
et celantibus nexus. Incolis deinde adfirmantibus
editam esse oraculo sortem Asiae potiturum qui
inexplicabile vinculum solvisset, cupido incessit
animum eius sortis explendae. Nequaquam diu
luctatus cum latentibus nodis, ' Nihil ' inquit ' interest,
quo modo solvantur '; gladioque ruptis omnibus
loris oraculi sortem vel elusit vel implevit.

Alexander's risky bathe

87. Mediam Cydnus amnis interfluit. Et tunc aestas erat,
et diei fervidissimum tempus esse coeperat. Pulvere
simul ac sudore perfusum regem invitavit liquor
fluminis, ut calidum adhuc corpus abluleret. Itaque
veste deposita in conspectu agminis descendit in
flumen. Vixque ingressi subito horrore artus rigere
coeperunt, pallorque deinde suffusus est et totum
propemodum corpus vitalis calor reliquit. Exspiranti
similem ministri manu excipiunt nec satis compotem
mentis in tabernaculum deferunt.

The Rhine

88. Rhenus oritur ex Lepontiis, qui Alpes incolunt, et
longo spatio per Germaniam citatus fertur, et ubi
Oceano appropinquavit, in plures defluit partes
multis ingentibusque insulis effectis, quarum pars
magna a feris barbarisque nationibus incolitur, ex

quibus sunt qui piscibus atque ovis avium vivere existimantur, multisque capitibus in Oceanum influit.

Scipio and Mummius contrasted

89. Diversi imperatoribus mores, diversa fuere studia— quippe Scipio tam elegans liberalium studiorum omnisque doctrinae et auctor et admirator fuit, ut Polybium Panaetiumque, praecellentes ingenio viros, domi militiaeque secum habuerit. Neque enim quisquam hoc Scipione elegantius intervalla negotiorum otio dispunxit semperque aut belli aut pacis serviit artibus : semper inter arma ac studia versatus aut corpus periculis aut animum disciplinis exercuit. Mummius tam rudis fuit ut capta Corintho cum maximorum artificum perfectas manibus tabulas ac statuas in Italiam portandas locaret, iuberet praedici conducentibus, si eas perdidissent, novas eos reddituros.

Drusus and his Architect

90. Drusus cum aedificaret domum in Palatio promitteretque ei architectus ita se eam aedificaturum ut liber a conspectu immunisque ab omnibus arbitris esset neque quisquam in eam despicere posset, 'Tu vero ' inquit ' si quid in te artis est, ita compone domum meam ut, quidquid agam, ab omnibus perspici possit.'

Phocion refuses to accept a present

91. Fuit enim Phocion perpetuo pauper, cum divitissimus esse posset propter honores potestatesque summas quae ei a populo dabantur. Hic cum a rege Philippo munera magnae pecuniae repudiaret legatique hortarentur ut acciperet, simulque admonerent ut si ipse iis facile careret, liberis tamen prospiceret, quibus difficile esset in summa paupertate tantam

gloriam paternam tueri, ille ' Si mei similes erunt '
inquit ' idem hic agellus illos alet, qui me ad hanc
dignitatem perduxit ; sin dissimiles sunt futuri,
nolo meis impensis illorum ali augerique luxuriam.'

Carthaginian enmity towards Rome

92. At Hamilcar, posteaquam mare transit et in Hispaniam venit, magnas res secunda gessit fortuna :
maximas bellicosissimasque gentes subegit ; equis,
armis, viris, pecunia totam locupletavit Africam.
Hic cum in Italiam bellum inferre meditaretur, nono
anno postquam in Hispaniam venit, in proelio
pugnans occisus est. Huius perpetuum odium erga
Romanos maxime concitasse videtur secundum bellum
Poenicum. Namque Hannibal, filius eius, assiduis
patris obtestationibus eo est perductus, ut interire
quam Romanos non experiri mallet.

[l.2] *Secunda*, favourable ;   [l.8] *secundum*, second.

Heroic death of Chabrias

93. Chabrias autem periit tali modo. Oppugnabant
Athenienses Chium. Erat in classe privatus, sed
omnes, qui in magistratu erant, auctoritate anteibat,
eumque magis milites quam eos qui praecrant
aspiciebant. Quae res ei maturavit mortem. Nam
dum primus studet portum intrare gubernatoremque
iubet eo dirigere navem, ipse sibi perniciei fuit : cum
enim eo penetrasset, ceterae non sunt secutae. Quo
facto circumfusus hostium concursu, cum fortissime
pugnaret, navis rostro percussa coepit sidere. Hinc
refugere cum posset, si se in mare deiecisset, quod
suberat classis Atheniensium, quae exciperet natantes,
perire maluit quam armis abiectis navem relinquere,
in qua fuerat vectus. At ille, praestare honestam
mortem existimans turpi vitae, comminus pugnans
telis hostium interfectus est.

Death of Epaminondas

94. Hic extremo tempore imperator apud Mantineam cum acie instructa audacius instaret, hostes universi in unum impetum fecerunt neque prius abscesserunt, quam magna caede multisque occisis fortissime ipsum Epaminondam pugnantem, sparo eminus percussum, coincidere viderunt. Huius casu aliquantum retardati sunt Boeotii, neque tamen prius pugna excesserunt quam repugnantes profligaverunt. At Epaminondas, cum animadverteret mortiferum se vulnus accepisse simulque, si ferrum quod in corpore remanserat extraxisset, animam statim emissurum, usque eo retinuit quoad renuntiatum est vicisse Boeotios. Id postquam audivit, ' satis ' inquit ' vixi : invictus enim morior.' Tum ferro extracto confestim exanimatus est.

' Wooden Walls '

95. Cum Xerxes et mari et terra bellum universae inferret Europae cum tantis copiis quantas neque ante nec postea habuit quisquam, et maxime Athenienses peti dicerentur propter pugnam Marathoniam, miserunt Delphos consultum, quidnam facerent de rebus suis. Deliberantibus Pythia respondit ut moenibus ligneis se defenderent. Id responsum quo valeret cum intellegeret nemo, Themistocles persuasit consilium esse Apollinis ut in naves se suaque conferrent : eum enim a deo significari murum ligneum. Tali consilio probato sua omnia quae moveri poterant statim Salamina deportant.

[l.9] *Eum*, ' For that was what the God meant by wooden walls ' ; *eum* is made to agree with the Predicate *murum*. This is the regular Latin construction.

Laocoon's Warning

96.   Primus ibi ante omnes, magna comitante caterva,
       Laocoon ardens summa decurrit ab arce
       et procul ' o miseri, quae tanta insania, cives ?

Creditis avectos hostes aut ulla putatis
dona carere dolis Danaum ?   sic notus Ulixes ?
aut hoc inclusi ligno occultantur Achivi,
aut haec in nostros fabricata est machina muros
inspectura domos venturaque desuper urbi,
aut aliquis latet error : equo ne credite, Teucri :
quicquid id est, timeo Danaos et dona ferentes.'

Marathon

97. Darius autem, cum ex Europa in Asiam rediisset,
hortantibus amicis ut Graeciam redigeret in suam
potestatem, classem quingentarum navium com-
paravit eique Datim et Artaphernem praefecit,
hisque ducenta peditum, decem milia equitum dedit.
Illi praefecti classe ad Euboeam appulsa celeriter
Eretriam ceperunt omnesque eius gentis cives abreptos
in Asiam ad regem miserunt. Inde ad Atticam
accesserunt ac suas copias in campum Marathona
deduxerunt. Is est ab oppido circiter milia passuum
decem. Hoc tumultu Athenienses tam propinquo
tamque magno permoti, auxilium nusquam nisi a
Lacedaemoniis petiverunt, Phidippidemque cursorem
Lacedaemonem miserunt, ut nuntiaret quam celeri
opus esset auxilio. Domi autem creant decem duces
qui exercitui praeessent, in eis Miltiadem, qui maxime
nitebatur ut primo quoque tempore castra fierent.

[l.17] *Primo quoque tempore,* ' at the earliest possible moment.'

The heroic Plataeans and the result of the battle

98. Hoc in tempore nulla civitas Atheniensibus auxilio
fuit praeter Plataeenses. Ea mille misit militum.
Itaque horum adventu decem milia armatorum
completa sunt, quae manus mirabili flagrabat cupiditate. Miltiadis ergo auctoritate impulsi Athenienses
copias ex urbe eduxerunt locoque idoneo castra
fecerunt. Dein postero die sub montibus acie instructa

proelium commiserunt. Datis etsi non aequum locum
videbat suis, tamen fretus numero copiarum suarum
confligere cupiebat, eoque magis quod, priusquam
Lacedaemonii subsidio venirent, dimicare utile
arbitrabatur. Itaque in aciem suos produxit proe-
liumque commisit. In quo tanto plus virtute
valuerunt Athenienses ut decemplicem numerum
hostium profligarint, adeoque perterruerint ut Persae
non castra, sed naves petierint.

A Double Suicide

99. Navigabam per Larium nostrum, cum senior amicus
ostendit mihi villam atque etiam cubiculum, quod in
lacum prominet. ' Ex hoc ' inquit ' aliquando
municeps nostra cum marito se praecipitavit.'
Causam requisivi. Maritus ex diutino morbo ulceribus
putrescebat : uxor, ut inspiceret, exegit ; neque
enim quemquam fidelius indicaturum utrum posset
sanari. Vidit, desperavit. Hortata est ut moreretur,
comesque ipsa mortis fuit. Nam se cum marito
ligavit abiecitque in lacum.

Larius, Lake Como.

Pliny complains that a friend has not written to him

100. Olim nullas mihi epistulas mittis. ' Nihil est '
inquis ' quod scribam.' At hoc ipsum scribe, nihil
esse quod scribas, vel solum illud, unde incipere
priores solebant : ' si vales, bene est ; ego valeo.'
Hoc mihi sufficit ; est enim maximum. Ludere me
putas ? Serio peto. Fac sciam, quid agas, quod sine
sollicitudine summa nescire non possum.

[1.6] *Fac*, with a subjunctive used for a polite command, ' Please
let me know.'

A reply to an invitation to stay at the seaside

101. Sollicitas me ut in Formianum veniam. Ea veniam
condicione ne quid contra commodum tuum facias ;

neque enim mare et litus, sed otium et libertatem
sequor ; alioqui satius est in urbe remanere.

Formianum, a villa at Formiae.

What to pray for

102.   Orandum est ut sit mens sana in corpore sano ;
fortem posce animum mortis terrore carentem,
qui spatium vitae extremum inter munera ponat
naturae, qui ferre queat quoscumque labores,
nesciat irasci, cupiat nihil, et potiores
Herculis aerumnas credat saevosque labores
et Venere et cenis et pluma Sardanapalli.

[1.7] *Pluma*, down, downy couch [used = luxury in general];
Sardanapallus, an extravagant Eastern King.

PART II—VOCABULARIES

1

incido -ere -cidi	fall into
vito -are	avoid

2

quidam quaedam quoddam	a certain
litus -oris *n.*	shore
ambulo -are	walk
occurro -ere -curri -cursum	meet
latus -eris *n.*	side
importunus -a -um	unmannerly
percutio -ere -cussi -cussum	strike, jostle
quilibet quaelibet quodlibet	any (you like)
fatuus -i *m.*	silly (fellow), blockhead
decedo -ere -cessi -cessum	give way

3

an	whether
quaero -ere -sivi -situm	seek
doceo -ēre docui doctum	teach
cum *conj.*	since
curo -are	pay attention to

4

intendo -ere -di -tum	intend
perquiro -ere -quisivi -situm	enquire
sors sortis *f.*	divination
statuo -ere -ui -utum	decide
delibero -are	consider

5

signum -i *n.*	signal
receptui cano -ere cecini cantum	sound the retreat

6

fateor -ēri fassus	confess
tendo -ere tetendi tentum	strive
arduus -a -um	high, steep
virtus -tutis *f.*	virtue

7

quod si	but if
permitto -ere -misi -missum + *dat.*	allow
suadeo -ēre suasi suasum	advise
opto -are	pray for
precor -ari	pray

8

opes -um *f.* (*pl.*)	wealth

9

nosco -ere novi notum	get to know ; *pf.* know
potior -ius	preferable
rus ruris *n.*	country
beatus -a -um	blessed
tepeo -ēre	be warm
hiems -emis *f.*	winter
gratus -a -um	pleasing
aura -ae *f.*	breeze
lenio -ire	soothe

10

patrius -a -um	native
incunabulum -i *n.*	cradle
pergo -ere perrexi -rectum	go forward]
potius quam	rather than

| perurbanus -a -um | over-civilised |
| malo malle malui | prefer |

11

callidus -a -um	cunning
impono -ere posui positum + *dat.*	impose upon
nuper	lately
caupo -onis *m.*	innkeeper
mixtum -i *n.*	wine (mixed with water)
vendo -ere -didi -ditum	sell
merum -i *n.*	undiluted wine

12

vitium -i *n.*	fault
cantor -oris *m.*	singer
inter *prep.* + *acc.*	among
induco -ere -duxi -ductum animum	make up one's mind
iniussus -a -um	unbidden
desisto -ere -stiti -stitum	desist

13

thesaurus -i *m.*	treasure
praesidium -i *n.*	guard
cogo -ere coegi coactum	gather together
aurum -i *n.*	gold
paro -are	acquire
queo quire quivi	I can
officium -i *n.*	kindness
fides -ei *f.*	loyalty
pario -ere peperi partum	produce

14

deterior -ius	(getting) worse, failing
aspergo -ere -spersi -spersum	sprinkle
aetas -tatis *f.*	age

vultus -us *m.*	face
ruga -ae *f.*	wrinkle
senilis -is -e	of old age
aro -are	plough, delve
quassus -a -um	shattered
langueo -ēre	fade
vires -ium *f.* (*pl.*)	strength
lusus -us *m.*	game
placeo -ēre + *dat.*	please

15

cerno -ere crevi cretum	see
ut *conj.*	how
durus -a -um	stubborn
bos bovis *m.* and *f.*	ox, cow
firmus -a -um	stout
arvum -i *n.*	field
taurus -i *m.*	bull
frango -ere fregi fractum	break
opus -eris *n.*	work
vacuus -a -um	empty, unworked
soleo -ēre solitus	be accustomed
cesso -are	cease, rest
novalis -is *m.*	fallow land
fructus -us *m.*	fruit
assiduus -a -um	constant
lassus -a -um	tired
senesco -ere senui	grow old
humus -i *f.*	ground
licet + *subj.*	though
solvo -ere solvi solutum	loosen
siccus -a -um	dry
careo -ēre + *abl.*	lack, be free from

16

otium -i *n.*	leisure
alo -ere alui altum	nourish
quoque	also
pasco -ere pavi pastum	feed

immodicus -a -um	unmeasured, immoderate
contra	on the other hand
carpo -ere carpsi carptum	feed on, wear out
uterque utraque utrumque	each, both
careo -ēre + *abl.*	lack
alternus -a -um	alternate
requies -etis *f.*	rest
durabilis -is -e	lasting
reparo -are	repair
fessus -a -um	weary
membrum -i *n.*	limb
novo -are	renew

17

adeo	so
australis -is -e	southerly
umidus -a -um	wet
nimbus -i *m.*	cloud, rain
non intermissus -a -um	uninterrupted
fluo -ere fluxi fluxum	flow
imber -bris *m.*	shower
numero -are	count
nubila -orum *n.* (*pl.*)	clouds
invenio -ire -veni -ventum	find
nitidus -a -um	bright

18

colloquium -i *n.*	conversation
glorior -ari	boast
prae *prep.* + *abl.*	because of
iaculum -i *n.*	javelin
sagitta -ae *f.*	arrow
umbra -ae *f.*	shade
inquit	says he (she)

19

nubes -is *f.*	cloud
fertur	is said

20

dilectator -oris *m.*	recruiting officer
grandis -is -e	tall
eligo -ere -legi -lectum	choose
reddo -ere -didi -ditum	make

21

ver veris *n.*	spring
dubitandus -a -um	to be doubted, untrustworthy
fides -ei *f.*	assurance, good faith
modo . . . modo	now . . . now
frons frontis *f.*	brow
blandus -a -um	winsome
arrideo -ēre -risi -risum	smile
caligo -inis *f.*	mist
infero ferre -tuli -latum	bring on
torrens -entis *m.*	torrent
aufero -ferre abstuli ablatum	carry off
agna -ae *f.*	lamb

22

diligo -ere -lexi -lectum	love
oculus -i *m.*	eye
habeo -ēre	keep
tamquam	as if
specto -are	watch
vivo -ere vixi victum	live

23

studium -i *n.*	pursuit
habeo -ēre	involve
sapiens -entis	wise
concupisco -ere -cupivi	desire
quasi	as it were
venenum -i *n.*	poison
imbutus -a -um	infected
virilis -is -e	manly
effemino -are	weaken

copia -ae *f*.	plenty
inopia -ae *f*.	scarcity
minuo -ere -ui -utum	lessen

24

cedo -ere cessi cessum	give way, pass
praeteritus -a -um	past
revertor -i, *pf*. reverti	return
sequor -i secutus	follow
scio -ire	know
quisque quaeque quidque	each
debeo -ēre	I ought

25

refero -ferre rettuli relatum	bring back
si (introducing a wish)	O that

26

proelium -i *n*.	battle
interficio -ere -feci -fectum	kill
idcirco	for that reason
gigno -ere genui genitum	give birth to
pro patria	for one's country
mortem occumbo -ere -cubui -cubitum	meet death
dubito -are	hesitate

27

morior -i mortuus	die
num	whether
aufero -ferre abstuli ablatum	carry away
undique	on all sides
inferi -orum *m*. (*pl*.)	the gods below
tantumdem	just as much

28

leniter	gently, patiently
meritum -i *n*.	desert

quidquid	whatever
patior -i passus	suffer
fero ferre tuli latum	bear
indignus -a -um	undeserving
poena -ae *f.*	punishment, misery
dolendus -a -um	to be grieved at, causing pain

29

iter itineris *n.*	journey
detraho -ere -traxi -tractum	detract from, relieve
fatigatio -onis *f.*	weariness
noto -are	mark
inscribo -ere -scripsi -scriptum	inscribe
lapis -idis *m.*	stone
spatium -i *n.*	distance
exhaurio -ire -hausi -haustum	drain, accomplish
mensura -ae *f.*	measure
voluptas -tatis *f.*	pleasure
hortor -ari	encourage
reliquus -a -um	the rest
exsequor -i -secutus	complete
supersum -esse -fui	be left over

30

cura -ae *f.*	anxiety
dilucesco -ere -luxi	dawn
gratus -a -um	welcome
supervenio -ire -veni -ventum	supervene, be added
spero -are	hope, hope for

31

credo -ere -didi -ditum	entrust ; + *dat.* trust
ratis -is *f.*	bark, ship
femineus -a -um	a woman's
tutus -a -um	safe
fides -ei *f.*	faith
contingo -ere -tigi	happen (by good fortune)

32

quotannis	every year
nascor -i natus	be born

33

eluceo -ere -luxi	shine bright
emorior -i -mortuus	die out
aetas -tatis *f.*	age
manifestus -a -um	evident
deficio -ere -feci -fectum	fail

34

dimidium -i *n.*	half
coepi -isse (*pf.*)	began, have begun
sapio -ere -ivi	be wise
audeo -ēre ausus	dare
incipio -ere -cepi -ceptum	begin
recte	rightly
prorogo -are	postpone
exspecto -are	wait
dum *conj.*	until
defluo -ere -fluxi -fluxum	flow down
amnis -is *m.*	river
labor -i lapsus	glide
volubilis -is -e	rolling
aevum -i *n.*	age, time

35

aeque . . . quam	equally . . . as
adipiscor -i adeptus	obtain
concupisco -ere -cupivi	be desirous

36

aro -are	plough
nuntio -are	announce
iussu	by command
regnum -i *n.*	sovereignty, rule

appeto -ere -ivi -itum	aim at
occupo -are	seize
interimo -ere -emi -emptum	slay

37

arduus -a -um	towering
proceritas -tatis f.	tallness
praefulgeo -ēre -fulsi	glitter
grandis -is -e	huge
ingredior -i -gressus	step
incedo -ere -cessi -cessum	walk, stalk
contemptus -us m.	scorn
superbia -ae f.	arrogance
despicio -ere -spexi -spectum	look down on
audeo -ēre ausus	dare
ceteri -ae -a (pl.)	the rest
metus -us m.	fear
pudor -oris m.	shame
ambiguus -a -um	hesitating
progredior -i -gressus	go forward
obviam	to meet
congredior -i -gressus	meet
consisto -ere -stiti	take up a position
manus consero -ere -serui	join battle
ibi	there
corvus -i m.	crow
repente	suddenly
improvisus -a -um	unexpected
advolo -are	fly towards
galea -ae f.	helmet
insisto -ere -stiti	perch
inde	from there
os oris n.	mouth, face
insilio -ire -silui	leap on
obturbo -are	throw into confusion
unguis -is m.	talon
lanio -are	tear, mangle
saevio -ire	rage
uterque -traque -trumque	each

revolo -are	fly back
nitor -i nixus + *abl.*	rely on
opera -ae *f.*	work, efforts
ales -itis *m.* and *f.*	bird
propugno -are	fight for, defend
ferox -ocis	warlike
cognomen -inis *n.*	name

38

decedo -ere -cessi -cessum	depart
viso -ere visi visum	visit
moleste fero ferre tuli latum	grieve
committo (-ere -misi -missum) ut . . .	allow that . . .
efficio (-ere -feci -fectum) ut . . .	cause that . . .
frustra	in vain

39

quam	how
delecto -are	delight
conicio -ere -ieci -iectum	throw
carcer -eris *m.*	prison
sitio -ire	be thirsty
obduco -ere -duxi -ductum	drain
poculum -i *n.*	cup
resono -are -sonui	resound, ring
sonitus -us *m.*	sound
arrideo -ēre -risi -risum	smile
propino -are	pledge
taeter -tra -trum	brutal
trado -ere -didi -ditum	hand over
ludo -ere lusi lusum	play, jest
egregius -a -um	splendid
spiritus -us *m.*	breath

40

princeps -ipis *m.*	leading man
ceno -are	dine

convivium -i *n.*	banquet
admodum	exceedingly
postridie	on the next day
in praesentia	at the moment
posterus -a -um	next
ne . . . quidem	not even
iucundus -a -um	delightful
utor -i usus + *abl.*	use
potio -onis *f.*	drink
compleo -ēre -evi -etum	fill

41

illucesco -ere -luxi	dawn
seditio -onis *f.*	mutiny
sentio -ire sensi sensum	perceive
improviso	unexpectedly
irrumpo -ere -rupi -ruptum	break in
vivus -a -um	alive
sublatus -a -um	carried off
somnium -i *n.*	dream
comprobo -are	prove right

42

vacca -ae *f.*	cow
capella -ae *f.*	she-goat
ovis -is *f.*	sheep
iniuria -ae *f.*	wrong
saltus -us *m.*	glade
cervus -i *m.*	stag
loquor -i locutus	speak
tollo -ere	take away
quoniam *conj.*	since
consors -sortis	partner
tribuo -ere -ui -utum	assign
valeo -ēre	be strong
malum -i *n.*	misfortune, disaster
afficio -ere -feci -fectum	affect, treat
tango -ere tetigi tactum	touch
praeda -ae *f.*	booty

improbitas -tatis *f.*   injustice
aufero -ferre abstuli ablatum   carry off

43

pratum -i *n.*   meadow
rana -ae *f.*   frog
conspicio -ere -spexi -spectum   catch sight of
bos bovis *m.* and *f.*   ox, cow
invidia -ae *f.*   jealousy
rugosus -a -um   wrinkled
inflo -are   blow up
pellis -is *f.*   hide, skin
natus -i *m.*   son
interrogo -are   question
an   whether
latus -a -um   broad
intendo -ere -di -tum   stretch
cutis -is *f.*   skin
nisus -us *m.*   effort
modus -i *m.*   manner
novissime   at last
indignor -ari   be indignant
validius   more strongly
rumpo -ere rupi ruptum   burst
iaceo -ēre   lie

44

princeps -ipis   first
trigeminus -a -um   triple
spolium -i *n.*   spoil
prae *prep.* + *abl.*   in front of
gero -ere gessi gestum   bear
despondeo   -ēre   -spondi   betrothe
  -sponsum
obvius -a -um   meeting
cognosco -ere -novi -nitum   recognise
umerus -i *m.*   shoulder
paludamentum -i *n.*   cloak
sponsus -i *m.*   lover

conficio -ere -feci -fectum	make, work
solvo -ere solvi solutum	loosen
crinis -is m.	hair
flebiliter	tearfully
appello -are	call
ferox -ocis	high-spirited
comploratio -onis f.	wailing
gaudium -i n.	joy
stringo -ere strinxi strictum	draw
gladius -i m.	sword
increpo -are -crepui -crepitum	rebuke
transfigo -ere -fixi -fixum	transfix
hinc	hence
immaturus -a -um	unseasonable
obliviscor -i -litus + gen.	forget

45

impetus -us m.	urgency
vix	scarcely
sustineo -ēre -tinui -tentum	check
aedes -ium f. (pl.)	house
fenestra -ae f.	window
adloquor -i -locutus	address
iubeo -ēre iussi iussum	bid
sopio -ire	stun
ictus -us m.	blow
ferrum -i n.	iron
redeo -ire -ii -itum	return
abstergeo -ēre -stersi -stersum	wipe
cruor -oris m.	blood
salubris -is -e	healthy
confido -ere -fisus	trust
propediem	shortly
dicto audiens, -entis	obedient
ius iuris n.	justice
reddo -ere -didi -ditum	dispense
obeo -ire -ii -itum	discharge
munia n. (pl.)	duties
decerno -ere -crevi -cretum	decide
consulo -ere -sului -sultum	consult

simulo -are	pretend
aliquot	several
exspiro -are	breathe one's last
celo -are	conceal
opes -um *f.*	resources, position
firmo -are	strengthen
tum demum	then at last
palam facio, -ere feci factum	make known
regia -ae *f.*	palace
orior -iri ortus	arise
praesidium -i *n.*	bodyguard
munio -ire	guard, fortify
iniussu	without command
voluntas -tatis *f.*	will

46

ruricola -ae	field-cultivating
aratrum -i *n.*	plough
praebeo -ēre	offer
incurvus -a -um	curved
collum -i *n.*	neck
premo -ere pressi pressum	press
iugum -i *n.*	yoke
pareo -ēre + *dat.*	obey
lentus -a -um	pliant
animosus -a -um	spirited
habenae -arum *f.* (*pl.*)	reins
durus -a -um	hard
os oris *n.*	mouth
lupus -i *m.*	bit
compesco -ere -pescui	assuage
feritas -tatis *f.*	wildness
item	likewise
paulatim	by degrees
mitigo -are	soothe
minuo -ere -ui -utum	lessen
luctus -us *m.*	grief
cor cordis *n.*	heart
levo -are	relieve
lapsa vetustas, -ae -tatis	lapse of time

| praeterquam | except |
| attenuo -are | lessen |

47

altaria -ium *n.* (*pl.*)	altars
fumo -are	smoke
nympha -ae *f.*	bride
salvus -a -um	safe
maritus -i *m.*	husband
cano -ere cecini cantum	sing, tell of
ferus -a -um	fierce
pingo -ere pinxi pictum	depict
merum -i *n.*	wine
exiguus -a -um	tiny
tellus -uris *f.*	land
celsus -a -um	lofty
tendo -ere tetendi tentum	pitch a tent
lacer -era -erum	mangled
admissus -a -um	at full speed, galloping

48

ostium -i *n.*	doorway
ancilla -ae *f.*	maid
iussu	at the command of
intus	within
ianua -ae *f.*	door
cognosco -cre -novi -nitum	recognise
respondeo -ēre -di -sum	answer
impudens -entis	impudent
credo -ere -didi -ditum + *dat.*	believe

49

fastigium -i *n.*	roof
ico -ere ici ictum	strike
usquam	anywhere
simulacrum -i *n.*	image
haruspex -icis *m.*	seer
depello -ere -puli -pulsum	knock down
demonstro -are	point out

50

volvo -ere volvi volutum	roll
iam iam	every moment
tango -ere tetigi tactum	touch
sidus -eris *n.*	star
diduco -ere -duxi -ductum	part
subsido -ere -sedi sessum	sink
Tartara -orum *n.* (*pl.*)	Hades
quocumque	wherever
aspicio -ere -spexi -spectum	look
nisi	unless
pontus -i *m.*	sea
aer aeris *m.*	air
fluctus -us *m.*	wave
tumidus -a -um	swelling
minax -acis	threatening
fremo -ere -ui -itum	roar
immanis -e	terrific
pareo -ēre + *dat.*	obey
ortus -us *m.*	East
serus -a -um	late
vesper -eri *and* -eris *m.*	evening, the West
siccus -a -um	dry
gelidus -a -um	icy
bacchor -ari	rage
adversus -a -um	opposed
frons frontis *f.*	brow
gero -ere gessi gestum	carry on
rector -oris *m.*	steersman
incertum -i *n.*	doubt
ambiguus -a -um	doubtful
ars artis *f.*	skill
stupeo -ēre	be dazed

51

adsequor -i -secutus	gain
discipulus -i *m.*	pupil
sua sponte	of their own accord
cogo -ere coegi coactum	compel

52

miror -ari	wonder
casu	by chance
digitus -i *m.*	finger
ignotus -a -um	unknown
paene	almost
salus -utis *f.*	safety, health
patior -i passus	put up with, suffer, bear
adsuesco -ere -suevi -suetum	become accustomed
placeo -ēre	please
labor -i lapsus	glide
narro -are	narrate, chat
fallo -ere fefelli falsum	beguile

53

cunctor -ari	delay
restituo (-ere -ui -utum) rem	restore fortunes
rumor -oris *m.*	rumour, repute

54

adversus *prep.* + *acc.*	against
recedo -ere -cessi cessum	retire
anceps -cipitis	doubtful
discrimen -inis *n.*	struggle
tueor -ēri	protect
tantummodo	only
constituo -ere -ui -utum	decide
cunctator -oris *m.*	delayer
mereo -ēre	earn

55

vereor -ēri	fear
fiducia -ae *f.*	reliance
refugium -i *n.*	refuge, (chance to) escape
constanter	vigorously
incendo -ere -cendi -censum	burn
priusquam *conj.*	before

56

subeo -ire -ii -itum	come to mind
repeto -ere -petivi -petitum	recall
carus -a -um	dear
gutta -ae *f.*	tear
lux lucis *f.*	day
discedo -ere -cessi -cessum	depart
fines -ium *m. (pl.)*	boundaries
aptus -a -um	fit
torpesco -ere torpui	grow dull
mora -ae *f.*	delay

57

exorior -iri -ortus	arise
gemitus -us *m.*	groan
ferio -ire	strike
umerus -i *m.*	shoulder
inhaereo -ēre -haesi	cling to
misceo -ēre miscui mixtum	mingle
lacrima -ae *f.*	tear
avello -ere -velli -vulsum	tear away
simul	together
exul -ulis *m.* and *f.*	exile
pietas -tatis *f.*	affection, devotion

58

solitus -a -um	customary
comitatus -a -um	accompanied
erro -are	wander
pratum -i *n.*	meadow
umbrosus -a -um	shady
aspergo -inis *f.*	spray
uvidus -a -um	damp
desilio -ire -silui -sultum	leap down
pingo -ere pinxi pictum	paint
niteo -ēre	glitter
humus -i *f.*	ground
accedo -ere -cessi -cessum	approach
refero -ferre rettuli relatum	bring back

sinus -us *m.*	fold, pocket
carpo -ere carpsi carptum	gather
casu	by chance
patruus -i *m.*	uncle
velociter	swiftly
caeruleus -a -um	dark blue

59

praealtus -a -um	very deep
transitus -us *m.*	crossing
compello -ere -puli -pulsum	drive
materia -ae *f.*	timber
copia -ae *f.*	supply
auris -is *f.*	ear
trano -are	swim across
statim	immediately
procurro -curri -cursum	run in front
exaspero -are	infuriate
dolor -oris *m.*	pain
amnis -is *m.*	river
exemplum facio, -ere feci factum	set an example

60

avidus -a -um + *gen.*	greedy (for)
mandragoras -ae *f.*	poisonous drug
permisceo -ēre -miscui -mixtum	mix
venenum -i *n.*	poison
sopor -oris *m.*	sleeping draught
vis *f.*	strength, potency
proelium committo, -ere -misi -missum	join battle
levis -is -e	trifling
ex industria	on purpose
cedo -ere cessi cessum	retire
nocte intempestiva	at dead of night
sarcina -ae *f.*	baggage
inficio -ere -feci -fectum	drug
fuga -ae *f.*	flight

medicatus -a -um	drugged
simulo -are	feign
effusus (-a -um) in gaudium	in wild delight
haurio -ire hausi haustum	drain
defunctus -a -um	dead
sterno -ere stravi stratum	strew, prostrate
iaceo -ēre	lie
revertor -i, (pf.) -verti	return
trucido -are	slaughter

61

inopinatus -a -um	unexpected
appello -ere -puli -pulsum	drive ashore
classis -is f.	fleet
pronuntio -are	declare
tabella -ae f.	tablet
gubernator -oris m.	pilot
signatus -a -um	sealed
praecipio -ere -cepi -ceptum	give instructions
lego -ere legi lectum	read
praetorius -a -um	belonging to admiral or general
abduco -ere -duxi -ductum	carry away

62

arbitror -ari	think
committo -ere -misi -missum	entrust
nuntius -i m.	messenger
virga -ae f.	wand
eminens -entis	outstanding
papaver -eris n.	poppy
hortus -i m.	garden
ambulo -are	walk
decutio -ere -cussi -cussum	cut off
renuntio -are	bring back word
tantum	only
adulescens -entis	young
ago -ere egi actum	do

63

apud *prep.* + *acc.*	near
induo -ere -dui -dutum	clothe
navigo -are	sail
navigium -i *n.*	boat
habitus -us *m.*	uniform
supersto -are	stand (on deck)
agnosco -ere -novi -nitum	recognise
caveo -ēre cavi cautum	take precautions
opprimo -ere -pressi -pressum	crush

64

provoco -are	challenge
comminus	hand to hand
inique	unjustly
pactum -i *n.*	agreement
procedo -ere -cessi -cessum	advance
admiror -ari	wonder
comitor -ari	accompany
respicio -ere -spexi -spectum	look back
aversus -a -um	with the back turned
ictus -us *m.*	blow
conficio -ere -feci -fectum	finish off

65

ortus -us *m.*	rising
sidus -eris *n.*	star
servo -are	watch
navita -ac *m.*	sailor
nescius -a -um	ignorant
erro -are	wander
surgo -ere surrexi surrectum	rise
lassus -a -um	tired
viator -oris *m.*	wayfarer
apto -are	fit
bidens -cntis *m.*	fork
onero -are	burden
arvum -i *n.*	ploughed field
colo -ere colui cultum	cultivate

iugum -i *n*.	yoke
pandus -a -um	spreading
bos bovis *m*. and *f*.	ox, cow
fraudo -are	cheat
trado -ere -didi -ditum	hand over
subeo -ire -ii -itum	undergo
verber -eris *n*.	blow

66

perennis -is -e	everlasting
orbis -is *m*.	world
mustum -i *n*.	must, new wine
uva -ae *f*.	grape
tumeo -ēre	swell
cado -ere cecidi casum	fall
incurvus -a -um	curved
falx falcis *f*.	sickle
reseco -are -secui -sectum	reap
sublimis -is -e	sublime
pereo -ire -ii -itum	perish
exitium -i *n*.	destruction
seges -etis *f*.	crop
lego -ere legi lectum	read
triumphatus -a -um	defeated

67

excutio -ere -cussi -cussum	shake, arouse
actor -oris *m*.	driver
numerus -i *m*.	number, full total
tacitus -a -um	silent
vestigium -i *n*.	footprint, trace
furtum -i *n*.	theft
traho -ere traxi tractum	drag
aversus -a -um	backwards
antrum -i *n*.	cave
infamia -ae *f*.	discredit, disgrace
finitimus -i *m*.	neighbour
hospes -itis *m*. and *f*.	stranger
dirus -a -um	dread

facies -iei *f.*	face
pro *prep.* + *abl.*	to match
grandis -is -e	huge

68

mugitus -us *m.*	lowing
raucus -a -um	hoarse
revocamen -inis *n.*	recall
aio	say
impius -a -um	impious
ultor -oris *m.*	avenger
proelium confero, -ferre -tuli -latum	join battle
stipes -itis *m.*	trunk
occupo -are	seize
adductus -a -um	drawn back
clava -ae *f.*	club
trinodis -is -e	triple (knotted)
vomo -ere vomui vomitum	belch forth
sanguis -inis *m.*	blood
fumus -i *m.*	smoke
morior -i mortuus	die
plango -ere planxi planctum	beat

69

grex gregis *m.*	flock
requiesco -ere -quievi -quietum	rest
tego -ere texi tectum	cover
folium -i *n.*	leaf
torus -i *m.*	couch
incīdo -ere -cidi -cisum	carve
fagus -i *f.*	beech
noto -are	scratch
pōpulus -i *f.*	poplar
vivo -ere vixi victum	live
precor -ari	pray
consero -ere -sevi -situm	plant
margo -inis *m.* and *f.*	edge
ripa -ae *f.*	bank

rugosus -a -um	wrinkled
cortex -icis *m.*	bark
spiro -are	breathe
fons fontis *m.*	source
verto -ere verti versum	turn
recurro -ere -curri -cursum	run back

70

adiuvo -are -iuvi -iutum	help
augeo -ēre auxi auctum	increase
definitus -a -um	set apart
beatus -a -um	blessed
aevum -i *n.*	life
sempiternus -a -um	eternal
fruor -i fructus + *abl.*	enjoy
mundus -i *m.*	world
acceptus -a -um	acceptable
concilium -i *n.*	council
coetus -us *m.*	meeting
ius iuris *n.*	law
socio -are	unite
rector -oris *m.*	governor
conservator -oris *m.*	preserver
hinc	hence
proficiscor -i -fectus	set out
huc	hither

71

utroque	in both directions
puellaris -is -e	girlish
tardo -are	delay, hamper
harena -ae *f.*	sand
clamo -are	cry out
litus -oris *n.*	shore
concavus -a -um	hollow
frutex -icis *m.*	brushwood
vertex -icis *m.*	summit
scopulus -i *m.*	cliff
raucus -a -um	roaring

pendeo -ēre pependi pensum   hang
adedo -ere -edi -esum   eat away
ascendo -ere -scendi scensum   climb
prospectus -us *m.*   gaze
metior -iri mensus   measure, survey
utor -i usus + *abl.*   use (find)
praeceps -cipitis   headlong
carbasa -orum *n. (pl.)*   sails
tendo -ere tetendi tentum   stretch
Notus -i *m.*   south wind

72

potior -ius   preferable
convenio -ire -veni -ventum   meet
complector -i -plexus   embrace
conlacrimo -are   shed tears
aliquanto   considerably
suspicio -ere -spexi -spectum   look up at
grates ago -ere egi actum   thank
migro -are   pass, migrate
recreo -are   refresh
discedo -ere -cessi -cessum   depart

73

percontor -ari   question closely
ultro citroque   on both sides
consumo -ere -sumpsi -sumptum   spend
cubitum eo, ire ii itum   got to bed
artus -a -um   sound (*lit.* close)
ostendo -ere -tendi -tentum   show
forma -ae *f.*   shape
imago -inis *f.*   statue
notus -a -um   known

74

pareo -ēre + *dat.*   obey
cogo -ere coegi coactum   compel
renovo -are   renew

pristinus -a -um	former
quiesco -ere quievi quietum	rest
excelsus -a -um	high
oppugno -are	attack
biennium -i *n.*	space of two years
everto -ere -verti -versum	overthrow
cognomen -inis *n.*	name
pario -ere peperi partum	gain
deleo -ēre -evi -etum	blot out
triumphum ago, -ere egi actum	celebrate a triumph
censor -oris *m.*	censor
deligo -ere -legi -lectum	choose
iterum	a second time
conficio -ere -feci -fectum	finish off
exscindo -ere -scidi -scissum	destroy utterly
currus -us *m.*	chariot
invehor -i -vectus	drive
offendo -ere -fendi -fensum	meet with, find
perturbo -are	upset
nepos -otis *m.*	grandson

75

nascor -i natus	be born
ob *prep.* + *acc.*	on account of
labefacto -are	make to totter
expono -ere -posui -positum	expose
silvestris -is -e	woodland
belua -ae *f.*	beast
sustento -are	sustain
sustuli (*pf.*) sublatum	carry off
agrestis -is -e	of the fields
cultus -us *m.*	culture
alo -ere alui altum	bring up
perhibetur	is said
adolesco -ere -evi -etum	grow up
praesto -are -stiti + *dat.*	surpass
libenter	willingly
praebeo -ēre	offer
opprimo -ere -pressi -pressum	crush
interimo -ere -emi -emptum	slay

76

condo -ere -didi -ditum	found
cogito -are	plan
opportunitas -tatis *f.*	convenience
admoveo -ēre -movi -motum	move to
ostium -i *n.*	mouth
situs -us *m.*	position
diuturnitas -tatis *f.*	long life
oppono -ere -posui -positum	expose
ceacus -a -um	hidden
quisquam quidquam	anyone, anything
suspicor -ari	suspect

77

admodum	quite
adulescentulus -i	youth
religio -onis *f.*	superstition
serenus -a -um	clear
candeo -ēre	shine brightly
deficio -ere -feci -fectum	be eclipsed
legatus -i *m.*	commanding officer
dubito -are	hesitate
palam	openly, publicly
loco -are	place
attingo -ere attigi	reach
inanis -is -e	empty
deicio -ere -ieci -iectum	banish

78

circiter	about
familiaris -is *m.*	friend
collega -ae *m.*	colleague
cena -ae *f.*	supper
pugio -onis *m.*	dagger
percutio -ere -cussi -cussum	strike
secundum *prep.* + *acc.*	close to
auris -is *f.*	ear
e vestigio	straightway
eo	thither
prima luce	at dawn

79

obviam + *dat.*	to meet
codicillus -i *m.*	note, written message
diem obeo, -ire -ii -itum	die
taeter -tra -trum	abominable
acerbus -a -um	bitter
morte afficio, -ere -feci -fectum	kill, put to death
tabernaculum -i *n.*	tent
pergo -ere perrexi perrectum	go on
libertus -i *m.*	freed man
pauculi -orum (*pl.*)	very few
profugio -ere -fugi -fugitum	run away
lectica -ae *f.*	litter
defero -ferre -tuli -latum	convey
funus -eris *n.*	funeral
amplus -a -um	ample, ornate

80

saluto -are	greet
perofficiose	dutifully
peramanter	affectionately
observo -are	pay court to
defluo -ere -fluxi -fluxum	be done with
litterae -arum *f.* (*pl.*)	literary studies
involvo -ere -volvi -volutum	immerse
doctus -a -um	learned
paulo	a little
curo -are	take care of
valeo -ēre	be in good health
foris	away from home
cenito -are	dine frequently
consequor -i -secutus	secure
convivium -i *n.*	banquet
delector -ari	delight in
gemitus -us *m.*	distress
risus -us *m.*	laughter
transfero -ferre -tuli -latum	change over
nihil tribuo, -ere -ui -utum	neglect
epulor -ari	feast
una	together

81

arx arcis *f.*	citadel
pro *prep.* + *abl.*	before, in front of
celsus -a -um	lofty
auratus -a -um	gilded
volito -are	flutter
argenteus -a -um	of silver
anser -eris *m.*	goose
porticus -us *f.*	colonnade
limen -inis *n.*	threshold
dumus -i *m.*	thicket
tenebrae -arum *f.*	darkness
donum -i *n.*	gift

82

memor -oris	mindful
eximo -ere -emi -emptum	take away
aevum -i *n.*	age, posterity
accolo -ere -colui -cultum	reside in

83

exitus -us *m.*	issue
constat	it is agreed
aditus -us *m.*	approach
muro -are	wall in
moles -is *f.*	massive structure, works
scripulum -i *n.*	pebble, tiny scrap
mancipium -i *n.*	property, slave
puto -are	think

84

vereor -ēri	fear
tacitus -a -um	silent, secret
suffragium -i *n.*	vote
vitium -i *n.*	offence
comitia -orum *n.* (*pl.*)	election
tabella -ae *f.*	voting paper
iocularis -is -e	jesting
foedus -a -um	disgusting

licentia -ae *f.*	licence
pravus -a -um	depraved
ingenium -i *n.*	character
adicio -ere -ieci -iectum	add, impart
fiducia -ae *f.*	confidence

85

iniungo -ere -iunxi -iunctum	enjoin
praeceptor -oris *m.*	teacher
liberi -orum *m.* (*pl.*)	children
beneficium -i *n.*	kindness
resumo -ere -sumpsi -sumptum	take up again
profiteor -ēri -fessus	come forward as candidate
efficio (-ere -feci -fectum) ut . . .	contrive that . . .

86

praeterfluo -ere -fluxi -fluxum	flow past
in dicionem redigo, -ere -egi -actum	bring under sway
notabilis -is -e	famous
adstringo -ere -strinxi -strictum	bind
nodus -i *m.*	knot
semet ipsos *emphatic reflexive*	themselves
implico -are	involve
celo -are	conceal
nexus -us *m.*	join, method of tying
edo -ere -didi -ditum	give out
sors sortis *f.*	oracle
potior -iri + *abl.* or *gen.*	get possession of
vinculum -i *n.*	fastening, knot
solvo -ere solvi solutum	untie
cupido -inis *f.*	desire
incedo -ere -cessi -cessum	enter
expleo -ēre -plevi -pletum	fulfil
nequaquam	by no means
luctor -ari	struggle
lateo -ēre	be hidden
interest -esse -fuit	it matters
rumpo -ere rupi ruptum	break

lorum -i *n.*	thong
eludo -ere -lusi -lusum	baffle
impleo -ēre -plevi -pletum	fulfil

87

interfluo -ere -fluxi -fluxum	flow through
fervidus -a -um	hot
pulvis -eris *m.*	dust
sudor -oris *m.*	sweat
liquor -oris *m.*	water
calidus -a -um	hot
abluo -ere -lui -lutum	bathe
vestis -is *f.*	robe, clothes
horror -oris *m.*	shivering
artus -uum *m. (pl.)*	limbs
rigeo -ēre	be numb
pallor -oris *m.*	paleness
suffundo -ere -fudi -fusum	spread
propemodum	almost
calor -oris *m.*	warmth
exspiro -are	expire
similis -is -e	like
excipio -ere -cepi -ceptum	catch
compos -otis	in possession of
tabernaculum -i *n.*	tent

88

orior -iri ortus	rise
citatus -a -um	swift
defluo -ere -fluxi -fluxum	flow down
piscis -is *m.*	fish
ovum -i *n.*	egg
existimo -are	think
caput -itis *n.*	head, outlet

89

praecello -ere	surpass
intervallum -i *n.*	interval
negotium -i *n.*	business

dispungo -ere -punxi -punctum	separate
servio -ire + *dat.*	devote oneself to
versor -ari	be engaged in
exerceo -ēre	exercise
rudis -is -e	rude, boorish
artifex -ficis *m.* and *f.*	worker, artist
tabula -ae *f.*	picture
loco -are	give a contract
conduco -ere -duxi -ductum	contract

90

Palatium -i *n.*	the Palatine hill
conspectus -us *m.*	being overlooked
immunis -is -e	safe
arbiter -tri *m.*	witness
despicio -ere -spexi -spectum	look down on
compono -ere -posui -positum	arrange

91

munus -eris *n.*	gift
repudio -are	reject
careo -ēre + *abl.*	do without
prospicio -ere -spexi -spectum	consider the interests of
tueor -ēri	maintain
agellus -i *m.*	little estate
alo -ere alui altum	support, foster
dignitas -tatis *f.*	high position
sin *conj.*	but if
impensum -i *n.*	expense
augeo -ēre auxi auctum	increase

92

secundus -a -um	favourable
gero -ere gessi gestum	conduct
gens gentis *f.*	tribe, people
subigo -ere -egi -actum	subdue
locupleto -are	enrich
meditor -ari	contemplate
occido -ere -cidi -cisum	kill

erga *prep.* + *acc.*	towards
concito -are	stir up
obtestatio -onis *f.*	protestation
perduco -ere -duxi -ductum	induce
intereo -ire -ii -itum	perish
experior -iri -pertus	try conclusions with

93

pereo -ire -ii -itum	perish
talis -is -e	such, the following
classis -is *f.*	fleet
magistratus -us *m.*	office
auctoritas -tatis *f.*	authority
anteeo -ire -ii	go before, excel
praesum -esse -fui	be in command
aspicio -ere -spexi -spectum	look to
maturo -are	hasten
studeo -ēre	be eager
portus -us *m.*	harbour
intro -are	enter
dirigo -ere -rexi -rectum	steer
pernicies -ei *f.*	destruction
penetro -are	make one's way in
circumfundo -ere -fudi -fusum	surround
concursus -us *m.*	concourse
rostrum -i *n.*	beak
percutio -ere -cussi -cussum	strike
sido -ere sidi	settle, sink
deicio -ere -ieci -iectum	cast
subsum -esse -fui	be at hand
excipio -ere -cepi -ceptum	catch, save
nato -are	swim
abicio -ere -ieci -iectum	throw away
praesto -are -stiti -statum	be preferable to
turpis -is -e	disgraceful
comminus	hand to hand

94

acies -ci *f.*	line (of battle)
instruo -ere -struxi -structum	draw up

insto -are -stiti -statum	press on
impetus -us *m.*	attack
abscedo -ere -cessi -cessum	default, draw off
caedes -is *f.*	slaughter
sparus -i *m.*	missile
eminus	from afar
concido -ere -cidi	fall
aliquantum	considerably
retardo -are	delay
excedo -ere -cessi -cessum	leave
repugno -are	resist
profligo -are	rout
animadverto -ere -verti -ver-sum	perceive
mortifer -era -erum	mortal
simul	at the same time
ferrum -i *n.*	iron
extraho -ere -traxi -tractum	draw out
emitto -ere -misi -missum	give up
usque eo quoad	right up to the time when
renuntio -are	bring word
postquam *conj.*	when
invictus -a -um	undefeated
confestim	immediately
exanimor -ari	expire

95

bellum infero, -ferre -tuli -latum	invade
tantus -a -um . . . quantus	as large as
quisquam quidquam	anyone, anything
peto -ere -ivi -itum	aim at
propter *prep.* + *acc.*	on account of
consulo -ere -sului -sultum	consult
delibero -are	consult
Pythia -ae *f.*	priestess of Apollo
respondeo -ere -spondi -spon-sum	reply .
moenia -ium *n.* (*pl.*)	walls
ligneus -a -um	wooden
valeo -ēre	mean

intellego -ere -lexi -lectum	understand
consilium -i *n.*	advice
confero -ferre -tuli -latum	betake
probo -are	approve
deporto -are	convey

96

caterva -ae *f.*	crowd
comitor -ari	accompany
ardens -entis	flaming, eager
decurro -ere -curri -cursum	run down
procul	from afar
insania -ae *f.*	madness
avehor -i -vectus	sail away
puto -are	think
careo -ēre + *abl.*	be without
dolus -i *m.*	guile
notus -a -um	known
lignum -i *n.*	wood
occulto -are	hide
fabrico -are	fashion
inspicio -ere -spexi -spectum	look into, inspect
desuper	down from above
lateo -ēre	lurk

97

redigo -ere -egi -actum	reduce
potestas -tatis *f.*	power
praeficio -ere -feci -fectum	put in command
praefectus -i *m.*	officer
classem appello, -ere -puli -pulsum	put fleet in
abripio -ere -ripui -reptum	carry off
accedo -ere -cessi -cessum	approach
deduco -ere -duxi -ductum	lead down
circiter	about
milia passuum	thousands of paces, i.e., miles
tumultus -us *m.*	confusion
propinquus -a -um	near

permoveo -ere -movi -motum	alarm
nusquam	nowhere
peto -ere -ivi -itum	seek
cursor -oris *m.*	runner
quam	how
opus est + *abl.*	there is need of
creo -are	elect
praesum -esse -fui + *dat.*	be in command of
maxime	very strongly
nitor -i nisus	press, urge

98

adventus -us *m.*	arrival
compleo -ēre -plevi -pletum	complete, make up
manus -us *f.*	band
flagro -are	burn
cupiditas -tatis *f.*	eagerness
auctoritas -tatis *f.*	influence
impello -ere -puli -pulsum	induce
idoneus -a -um	suitable
aequus -a -um	favourable
fretus -a -um + *abl.*	relying on
confligo -ere -flixi -flictum	engage
cupio -ere -ivi -itum	desire
subsidium -i *n.*	help
dimico -are	fight
utilis -is -e	useful
arbitror -ari	think
proelium committo, -ere -misi -missum	join battle
valeo -ēre	be strong
decemplex -plicis	tenfold

99

navigo -are	sail
senior -oris	aged
ostendo -ere -tendi -tentum	point out
villa -ae *f.*	house
cubiculum -i *n.*	bedroom

lacus -us *m.*	lake
promineo -ēre	jut
aliquando	once
municeps -cipis *m.* and *f.*	fellow townsman
maritus -i *m*	husband
praecipito -are	fling
requiro -ere -quisivi -quisitum	ask
diutinus -a -um	prolonged
morbus -i *m.*	disease
ulcus -eris *n.*	ulcer
putresco -ere	grow putrid, rot
exigo -ere -egi -actum	exact
sano -are	cure
comes -itis *m.* and *f.*	sharer
ligo -are	bind

100

olim	now for a long time
unde	from which
priores -um *m.*	forefathers
soleo -ēre solitus	be accustomed
valeo -ēre	be well
bene	well
sufficio -ere -feci -fectum	suffice
ludo -ere lusi lusum	play, jest
serio	in earnest
peto -ere -ivi -itum	ask
sollicitudo -inis *f.*	anxiety
summus -a -um	highest
nescio -ire	be ignorant of

101

sollicito -are	importune, press
condicio -onis *f.*	condition
contra *prep.* + *acc.*	against
commodum -i *n.*	convenience
litus -oris *n.*	shore
alioqui	otherwise
satius	better

102

oro -are	pray
sanus -a -um	healthy
posco -ere poposci	pray for
careo -ēre + *abl.*	be free from
spatium -i *n.*	space
extremus -a -um	last
munus -eris *n.*	gift
queo	be able
irascor -i iratus	be angry
potior -ius	preferable
aerumna -ae *f.*	misery
saevus -a -um	cruel
pluma -ae *f.*	cushion

PART III

1. Simia quam similis, turpissima bestia, nobis !
2. Si Scriphi natus esses, nec umquam egressus ex insula, in qua lepores vulpesque saepe vidisses, non crederes leones et pantheras esse, cum tibi quales essent diceretur.

Seriphi, locative, ' at Seriphus,' a small island.

Rob Peter to pay Paul

3. Sunt multi qui eripiunt aliis quod aliis largiantur.

Quod largiantur, subjunctive in a relative clause to express purpose ; *eripiunt aliis*, the person from whom something is taken is expressed by a Dative (of Disadvantage).

4. Parvi sunt foris arma, nisi sit consilium domi.

5. Fortis animi et constantis est non perturbari in rebus asperis nec tumultuantem de gradu deici, sed praesenti animo uti et consilio, nec a ratione discedere.

Fortis animi est, it is (the part) of a brave spirit ; *de gradu deicior*, i,e., he disconcerted.

Diseases desperate grown by desperate appliance are relieved

6. In adeundis periculis consuetudo medicorum imitanda est, qui leviter aegrotantes leniter curant, gravioribus autem morbis periculosas curationes ancipitesque adhibere coguntur.

7. Quem metuunt, oderunt : quem quisque odit, periisse expetit.
8. Valere malim quam dives esse.
9.   Vixere fortes ante Agamemnona
         multi : sed omnes illacrimabiles
           urgentur ignotique longa
             nocte, carent quia vate sacro.

111

Moderation in all things

10.   Est modus in rebus, sunt certi denique fines
quos ultra citraque nequit consistere rectum.

11.   Vitiis nemo sine nascitur : optimus ille est
qui minimis urgetur.

12. Quem di diligunt, adulescens moritur.

13. Breve tempus aetatis satis longum est ad bene
honesteque vivendum.

14. Galba amico paenulam roganti respondit 'si non pluit,
non opus est tibi ; si pluit, ipse utar.'

15. Augustus, cui miles libellum timide porrigebat,
'noli,' inquit, 'dare tamquamsi assem des elephanto.'

16. Pueri cum artes difficiles discunt, ita celeriter res
innumerabiles arripiunt, ut eas non tum primum
accipere videantur, sed reminisci et recordari.

Some have greatness thrust upon them

17. Quo minus Cato petebat gloriam, eo magis illum
assequebatur.

Pericles' explanation of lightning

18. Pericles, cum in castra eius fulmen decidisset terruis-
setque milites, advocata contione lapidibus in conspectu omnium collisis ignem excussit sedavitque
conturbationem cum docuisset similiter nubium
attritu excuti fulmen.

A laggard punished

19. Lysander egressum via quemdam castigavit.   Cui
dicenti ad nullius rei rapinam se ab agmine recessisse
respondit :   'ne speciem quidem rapturi praebeas
volo.'

War

20.   Postquam discordia taetra
belli ferratos postes portasque refregit,
pellitur e medio sapientia, vi geritur res ;
spernitur orator bonus, horridus miles amatur.

21.   Una est nobilitas argumentumque coloris
        ingenui :—timidas non habuisse manus.

        Ingenuus color, i.e., ' blue blood.'

' *Study always and before all the ancient Greeks* ' (*Goethe*)

22.   Vos exemplaria Graeca
      nocturna versate manu, versate diurna.

      ' *No children run to lisp their sire's return*
        Or climb his knees the envied kiss to share '

23.   Iam iam non domus accipiet te laeta, nec uxor
      optima nec dulces occurrent oscula nati
      praeripere et tacita pectus dulcedine tangent.

Some Passages on Roman Education :
A Father's Supreme Merit

24. At illa laus est magno in genere et in divitiis maximis
liberos hominem educare, generi monumentum et
sibi.

The Teaching of Greek

25. A sermone Graeco puerum incipere malo, quia
Latinum, qui plurimum in usu est, vel nobis nolentibus
perbibet, simul quia disciplinis quoque Graecis prius
instituendus est, unde et nostrae fluxerunt.

Schoolmasters' bait

26.   Pueris olim dant crustula blandi
      doctores, elementa velint ut discere prima.

On the Art of Teaching

27.   Quidquid praecipies, esto brevis, ut cito dicta
      percipiant animi dociles teneantque fideles.

The School Attendance Age

28. Quidam litteris instituendos qui minores septem annis
essent non putaverunt, quod illa primum aetas et

intellectum disciplinarum capere et laborem pati potest.

Against Corporal Punishment

29. Caedi vero discentes minime velim, quia deforme atque servile est, deinde quod si cui tam est mens illiberalis ut obiurgatione non corrigatur, is etiam ad plagas ut pessima quaeque mancipia durabitur ; postremo quod ne opus erit quidem hac castigatione, si assiduus studiorum exactor astiterit.

Pessima quaeque, all the worst.

The Use of Model Letters

30. Non excludo id quod est inventum irritandae ad discendum infantiae gratia—eburneas etiam litterarum formas in lusum offerre ; vel si quid aliud inveniri potest quod tractare, intueri, nominare iucundum sit.

In lusum, to play with.

What's the Use of Euclid ?

31. Nam quid ad agendam causam dicendamve sententiam pertinet scire quemadmodum data linea constitui triangula aequis lateribus possint ?

Essays should not be valued by their length

32. Ne latas quidem ultra modum esse ceras velim ; expertus sum iuvenem, alioqui studiosum, praelongos habuisse sermones, quia illos numero versuum metiebatur.

A little learning is a dangerous thing

33. Nihil est peius eis, qui paulum aliquid ultra primas litteras progressi falsam sibi scientiae persuasionem induerunt.

Applause in School

34. Minime vero permittenda pueris adsurgendi exsultandique in laudando licentia ; quin etiam iuvenum modicum esse, cum audient, testimonium debet.

What used to be learnt at school

35. Discebamus enim pueri Duodecim Tabulas quas iam nemo discit.

Prize-giving

36. Namque ad excitanda discentium ingenia aequales inter se committere solebant, proposita non solum materia, quam scriberent, sed etiam praemio quod victor auferret.   Id erat liber antiquus pulcher aut rarior.

Unwillingly to School

37. Iam vero unum et unum duo, duo et duo quattuor odiosa mihi cantio erat, et dulcissimum spectaculum equus ligneus plenus armatis, et Troiae incendium, atque ipsius umbra Creusae.

Spectaculum, lit. ' show ' in a theatre, tr. ' word-picture ' ; *equus ligneus*, etc., the wooden horse and the burning of Troy, as told in Vergil ; *Creusa*, Aeneas' wife, lost in the escape from Troy.

Escape of Themistocles

38. Themistocles in navem omnibus ignotus nautis escendit.   Quae cum tempestate maxima Naxum ferretur, ubi tum erat Atheniensium exercitus, sensit Themistocles, si eo pervenisset, sibi esse pereundum. Hac necessitate coactus domino navis aperit qui sit, multa pollicens si se conservasset.   At ille clarissimi viri captus misericordia diem noctemque procul ab insula in salo navem tenuit in ancoris, neque quemquam exire ex ea passus est.   Inde Ephesum pervenit, ibique Themistoclem exponit.

The Sacred Fowls

39. P. Claudius bello Punico per iocum deos irrisit ;
cum cavea liberati pulli sacri non pascerentur,
mergi eos in aquam iussit ut biberent, quoniam esse
nollent. Qui risus, classe devicta, multas ipsi lacrimas,
magnam populo Romano cladem attulit. Itaque
Claudius a populo condemnatus est.

Prediction of Eclipses

40. Solis defectiones itemque lunae praedicuntur in
multos annos ab eis qui siderum motus numeris
persequuntur ; ea praedicunt enim quae naturae
necessitas perfectura est. Vident ex constantissimo
motu lunae, quando illa e regione solis facta incurrat
in umbram terrae, ut eam obscurari necesse sit,
quandoque eadem luna opposita soli nostris oculis
eius lumen obscuret.

Thales

41. Milesius Thales ut ostenderet etiam philosophum, si
ei commodum esset, pecuniam posse facere, omnem
oleam, antequam florere coepisset, in agro Milesio
coemisse dicitur. Animadverterat fortasse quadam
scientia olearum ubertatem fore. Et quidem idem
primus defectionem solis, quae Astyage regnante
facta est, praedixisse fertur.

Eclipse of May 28, 585 B.C., first certain date of Greek history.

Catiline on the Battle Field

42. Citilina ipse cum expeditis in prima acie versari,
laborantibus succurrere, omnia providere, multum
ipse pugnare, saepe hostem ferire ; strenui militis et
boni imperatoris officia simul exsequebatur. Neque
exercitus populi Romani laetam aut incruentam
victoriam adeptus est. Nam strenuissimus quisque aut

occiderat in proelio aut graviter vulneratus discesserat.
Multi autem, qui e castris visendi aut spoliandi
gratia processerant, volventes hostilia cadavera
amicum alii, pars hospitem aut cognatum reperiebant.

Versari, succurrere, providere, pugnare, ferire, historic infinitives as
main verbs.

The Origin of the Conspiracy

43. Ea tempestate imperium populi Romani mihi maxime
miserabile visum est. Cui cum ad occasum ab ortu
solis omnia domita armis parerent, domi otium atque
divitiae, quae prima mortales putant, affluerent,
fuere tamen cives qui seque remque publicam
obstinatis animis perditum irent. Namque duobus
senatus decretis ex tanta multitudine neque praemio
inductus coniurationem patefecerat neque ex castris
Catilinae quisquam omnium discesserat ; tanta vis
morbi plerosque civium animos invaserat. Omnino
cuncta plebes novarum rerum studio Citilinae
incepta probabat ; nam semper in civitate quibus
opes nullae sunt bonis invident, malos extollunt,
vetera odere, nova exoptant, odio suarum rerum
mutari omnia student, quoniam egestas nihil damni
accipere potest.

Nihil damni, partitive genitive ' nothing of loss,' i.e., ' no loss.'

Ariadne's pleading with the absent Theseus

44. ' Quo fugis ? ' exclamo ; ' scelerate revertere Theseu ;
flecte ratem ; numerum non habet illa suum ! '
Haec ego ; quod voci deerat, plangore replebam ;
verbera cum verbis mixta fuere meis.
Si non audires, ut saltem cernere posses,
iactatae late signa dedere manus ;
candidaque imposui longae velamina virgae—
scilicet oblitos admonitura mei !

Cassandra warns Oenone

45. Hoc tua—nam recolo—quondam germana canebat,
    sic mihi diffusis vaticinata comis :
    ' quid facis, Oenone, quid harenae semina mandas ?
    non profecturis litora bubus aras.
    Graea iuvenca venit, quae te patriamque domumque
      perdat. io prohibe ! Graea iuvenca venit :
    dum licet, obscenam ponto demergite puppim ;
    heu quantum Phrygii sanguinis ille vehit.'

Harenae semina mandas, proverbial of wasted labour.

How the Britons fought from chariots

46. Genus hoc est ex essedis pugnae. Primo per omnes
    partes perequitant et tela coiciunt atque ipso terrore
    equorum et strepitu rotarum ordines plerumque
    perturbant et, cum se inter equitum turmas insinu-
    averunt, ex essedis desiliunt et pedibus proeliantur.
    Aurigae interim paulatim ex proelio excedunt atque
    ita currus collocant ut, si illi a multitudine hostium
    premantur, expeditum ad suos receptum habeant.
    Ita mobilitatem equitum, stabilitatem peditum in
    proeliis praestant, ac tantum usu cotidiano et exer-
    citatione efficiunt ut in declivi ac praecipiti loco
    incitatos equos sustinere et brevi moderari ac flectere
    et per temonem percurrere et in iugo insistere et se
    inde in currus citissime recipere consuerint.

Rivalry leads to friendship

47. Erant in ea legione fortissimi viri, centuriones, T.
    Pullo et L. Vorenus. Hi perpetuas inter se contro-
    versias habebant, quinam anteferretur. Ex his Pullo,
    cum acerrime ad munitiones pugnaretur, ' Quid
    dubitas,' inquit, ' Vorene ? aut quem locum tuae
    virtutis spectas ? hic dies de nostris controversiis
    iudicabit.' Haec cum dixisset, procedit extra muni-

tiones, quaeque pars hostium confertissima est visa
irrumpit. Ne Vorenus quidem sese vallo continet
sed omnium veritus exlstimationem subsequitur.
Tum mediocri spatio relicto Pullo pilum in hostes
immittit, atque unum ex multitudine procurrentem
traicit ; quo percusso et exanimato, hunc scutis
protegunt, in hostem tela universi coiciunt neque
dant regrediendi facultatem.

Contd.

48. Transfigitur scutum Pulloni et verutum in balteo
defigitur, impeditumque hostes circumsistunt. Suc-
currit inimicus ille Vorenus et laboranti subvenit.
Ad hunc se confestim a Pullone omnis multitudo
convertit ; illum veruto arbitrantur occisum. Gladio
comminus rem gerit Vorenus, atque uno interfecto
reliquos paulum propellit : dum cupidius instat, in
locum deiectus inferiorem concidit. Huic rursus
circumvento fert subsidium Pullo, atque ambo
incolumes compluribus interfectis summa cum laude
sese intra munitiones recipiunt. Sic fortuna in
contentione et certamine utrumque versavit, ut alter
alteri inimicus auxilio salutique esset neque diiudicari
posset uter utri virtute anteferendus videretur.

Utrumque versavit, handled each of them in turn.

Buying an estate

49. Tranquillus, contubernalis meus, vult emere agellum,
quem venditare amicus tuus dicitur. Rogo ut cures,
quanti aequum est, emat. In hoc autem agello
Tranquilli mei stomachum multa sollicitant, vicinitas
urbis, mediocritas villae, modus ruris. Haec tibi
exposui, quo magis scires quantum ille esset mihi,
quantum ego tibi debiturus, si praediolum istud tam
salubriter emat, ut poenitentiae locum non relinquat.

Excuses for not writing

50. Graviter irascor quod a te tam diu litterae nullae.
Exorare me potes uno modo, si nunc saltem plurimas
et longissimas miseris. Haec mihi sola excusatio
vera, ceterae falsae videbuntur ; non sum auditurus :
' non eram Romae,' vel, ' occupatior eram.' Ipse ad
villam partim studiis, partim desidia fruor, quorum
utrumque ex otio nascitur. Vale.

An ideal retirement

51. Magnam cepi voluptatem cum cognovi te et disponere
otium et ferre, habitare amoenissime, et multum
audire multum lectitare, cumque plurimum scias,
cotidie tamen aliquid addiscere. Ita senescere
oportet virum qui totum se reipublicae, quam diu
decebat, obtulerit. Nam et prima vitae tempora et
media patriae, extrema nobis impertire debemus.

How not to economise

52. Accidit ut homo minime familiaris cenarem apud
quemdam, ut sibi videbatur, lautum et diligentem,
ut mihi, sordidum simul et sumptuosum. Nam sibi
et paucis optima quaedam, ceteris vilia et minuta
ponebat. Vinum etiam parvulis lagunculis discripse-
rat, aliud sibi et nobis, aliud minoribus amicis (nam
gradatim amicos habet), aliud suis nostrisque libertis.
    Animadvertit qui mihi proximus recumbebat, et
num probarem rogavit. Negavi. ' Tu ergo ' inquit
' quam consuetudinem sequeris ? ' ' Eadem omnibus '
respondi ' pono ; ad cenam enim, non ad notam,
invito, cunctisque rebus exaequo eos quos mensa et
toro aequavi.' ' Etiamne libertos ? ' ' Etiam ;
convictores enim tunc, non libertos, puto.' Et ille :
' magno tibi constat.' ' Minime.' ' Qui fieri potest ? '
' Quia scilicet liberti mei non idem quod ego bibunt,
sed idem ego quod liberti.'

The Power of Gold

53. Aurum per medios ire satellites
     et perrumpere amat saxa potentius
     ictu fulmineo : concidit auguris
         Argivi domus ob lucrum
     demersa exitio ; diffidit urbium
     portas vir Macedo et subruit aemulos
     reges muneribus ; munera navium
         saevos inlaqueant duces.

Argivus augur, Amphiaraus, one of the Seven Against Thebes :
Polynices bribed Eriphyle to persuade her husband to join the war
(in which he was destined to perish) ; *vir Macedo*, Philip of Macedon,
who said that no fortress was impregnable if an ass laden with gold
could be driven up to it.

An ex-praetor assassinated by his slaves

54. Rem atrocem Larcius Macedo, vir praetorius, a
servis suis passus est. Lavabatur in villa Formiana.
Repente eum servi circumsistunt ; alius fauces
invadit, alius os verberat, alius pectus et ventrem ;
et cum exanimem putarent, abiciunt in fervens
pavimentum, ut experirentur num viveret. Ille, sive
quia non sentiebat, sive quia se non sentire simulabat,
immobilis et extentus fidem peractae mortis implevit.

Excipiunt servi fideliores ; ita et vocibus excitatus
et recreatus loci frigore, sublatis oculis agitatoque
corpore, vivere se confitetur. Diffugiunt servi,
quorum magna pars comprehensa est, ceteri
requiruntur. Ipse paucis post diebus non sine
ultionis solacio decessit, ita vivus vindicatus ut occisi
solent.

. 8, *fidem implevit*, etc., gave the impression of being quite dead.

The Day's Work and the Joys of Retirement

55. Si quem interroges ' Hodie quid egisti ? ' respondeat :
' Officio togae virilis interfui ; sponsalia aut nuptias
frequentavi ; ille me ad signandum testamentum,

ille in consilium rogavit.' Haec quo die feceris,
necessaria ; eadem, si cotidie fecisse te reputes,
inania videntur ; multo magis, cum secesseris.
Tunc enim subit recordatio : ' quot dies quam
frigidis rebus absumpsi ! ' Quod evenit mihi, postquam in Laurentino meo aut lego aliquid aut scribo
aut etiam corpori vaco, cuius fulturis animus sus-
tinetur. Nihil audio, quod audisse, nihil dico, quod
dixisse paeniteat ; nemo apud me quemquam ser-
monibus carpit, neminem ipse reprehendo, nisi
tamen me, cum parum commode scribo ; nulla spe,
nullo timore sollicitor, nullis rumoribus inquietor ;
mecum tantum et cum libellis loquor.

l. 10, *corpori vaco*, attend to one's personal needs, wash, dress,
rest, etc.

A hand-to-hand fight

56. Erat tum inter equites tribunus militum A. Cornelius
Cossus, eximia pulchritudine corporis, animo ac
viribus par memorque generis, quod amplissimum
acceptum maius auctiusque reliquit posteris. Is
cum ad impetum Tolumnii, quacumque se intendisset,
trepidantes Romanos videret, calcaribus subditis
infesta cuspide in unum fertur hostem ; quem cum
ictum equo deiecissit, confestim et ipse hasta se in
pedes excepit. Adsurgentem ibi regem umbone
resupinat, repetitumque saepius cuspide ad terram
adfixit. Tum exsangui detracta spolia caputque
abscisum victor spiculo gerens terrore caesi regis
hostes fundit.

l. 7, *Infesta cuspide*, ' with lance couched ' ; l. 8, *se in pedes
excipere*, ' leap to one's feet.'

The first experiment in flying

57.   Postquam manus ultima coepto
imposita est, geminas opifex libravit in alas
ipse suum corpus, motaque pependit in aura ;

instruit et natum, ' medio '-que ' ut limite curras,
Icare,' ait, ' moneo, ne, si demissior ibis,
unda gravet pennas, si celsior, ignis adurat :
inter utrumque vola ;
me duce carpe viam.'
    Pariter praecepta volandi
tradit et ignotas umeris accommodat alas.
Inter opus monitusque genae maduere seniles,
et patriae tremuere manus ; pennisque levatus
ante volat, comitique timet,
hortaturque sequi, damnosasque erudit artes,
et movet ipse suas et nati respicit alas.

Contd.

58. Hos aliquis, tremula dum captat harundine pisces,
credidit esse deos. Et iam Iunonia laeva
parte Samos—fuerant Delosque Parosque relictae—
cum puer audaci coepit gaudere volatu,
deseruitque ducem caelique cupidine tractus
altius egit iter. Rapidi vicinia solis
mollit odoratas, pennarum vincula, ceras ;
tabuerant cerae : nudos quatit ille lacertos,
remigioque carens non ullas percipit auras,
oraque caerulea patrium clamantia nomen
excipiuntur aqua, quae nomen traxit ab illo.

Contd.   l. 9, *remigium*, i.e., wings.

59. At pater infelix, nec iam pater, ' Icare ' dixit
' Icare ' dixit ' ubi es ? qua te regione requiram ?
Icare ' dicebat : pennas aspexit in undis
devovitque suas artes corpusque sepulcro
condidit ; et tellus a nomine dicta sepulti.

The same story in Elegiacs

60. Iam Samos a laeva fuerant Naxosque relictae
 et Paros et Clario Delos amata deo,
cum puer, incautis nimium temerarius annis,
 altius egit iter deseruitque patrem.

Vincla labant et cera deo propiore liquescit,
  nec tenues ventos bracchia mota tenent.
Territus a summo despexit in aequora caelo,
  nox oculis pavido venit oborta metu.
Tabuerant cerae ; nudos quatit ille lacertos ;
  et trepidat, nec quo sustineatur habet.
Decidit, atque cadens ' pater, o pater, auferor ' inquit ;
  clauserunt virides ora loquentis aquae.

*Time doth transfix the flourish set on youth
and delves the parallels in beauty's brow*

61. Forma bonum fragile est, quantumque accedit ad
      annos
    fit minor, et spatio carpitur ipsa suo.
  Nec violae semper nec hiantia lilia florent,
    et riget amissa spina relicta rosa.
  Et tibi iam venient cani, formose, capilli,
    iam venient rugae, quae tibi corpus arent.
  Iam molire animum, qui duret, et adstrue formae :
    solus ad extremos permanet ille rogos.
  Nec levis ingenuas pectus coluisse per artes
    cura sit et linguas edidicisse duas.

Audience at a singing contest between Idas and Astacus

62. Adfuit omne genus pecudum, genus omne ferarum
    et quodcumque vagis altum ferit aera pennis.
    Convenit umbrosa quicumque sub ilice lentus
    pascit oves, Faunusque pater, Satyrique bicornes ;
    adfuerunt sicco Dryades pede, Naiades udo,
    et tenuere suos properantia flumina cursus ;
    desistunt tremulis incurrere frondibus Euri,
    altaque per totos fecere silentia montes.
    Omnia cessabant, neglectaque pascua tauri
    calcabant, illis etiam certantibus ausa est
    daedala nectareos apis intermittere flores.

  1. 5, *Dryads* were wood nymphs, *Naiads* water nymphs.

Spring in Tomi, where Ovid is in exile

63.   Frigora iam Zephyri minuunt annoque peracto
          longior antiquis visa Maeotis hiems,
      impositamque sibi qui non bene pertulit Hellen
          tempora nocturnis aequa diurna facit.
      Iam violam puerique legunt hilaresque puellae,
          rustica quae nullo nata serente venit ;
      prataque pubescunt variorum flore colorum,
          indocilique loquax gutture vernat avis.

          l. 3, *qui*, i.e., the ram for the month March.

Murder on the highway : the facts

64. Milo Lanuvium postera die profectus est. Occurrit ei
     circa horam nonam Clodius paulo ante Bovillas,
     rediens ab Aricia prope eum locum in quo Bonae
     Deae sacellum est. Vehebatur Clodius equo ; servi
     xxx fere gladiis cincti sequebantur. Erant cum
     Clodio praeterea tres comites eius, ex quibus eques
     Romanus unus, de plebe noti homines. Milo raeda
     vehebatur cum uxore, filia et M. Fusio, familiari suo.
     Sequebatur eos magnum servorum agmen, ex quibus
     duo noti, Eudamus et Birria. Ii in ultimo agmine
     tardius euntes cum servis P. Clodi rixam commiserunt ;
     Clodius vulneratus in tabernam proximam delatus est.
     Milo exturbari iussit. Atque ita Clodius latens
     extractus est, multisque vulneribus confectus.
     Cadaver eius in via relictum, quia servi Clodi aut
     occisi erant aut graviter saucii latebant, Sex. Teidius,
     senator, qui forte rure in urbem revertebatur, sustulit
     et lectica sua Romam ferri iussit.

Themistocles' ruse for the fortification of Athens

65. Themistocles exhortans suos ad suscitandos festi-
     nanter muros, quos iussu Lacedaemoniorum deie-
     cerant, legatis Lacedaemone missis respondit se
     venturum ; ibi simulato morbo aliquantum temporis

extraxit ; et postquam intellexit suspectam esse
tergiversationem suam, contendit falsum allatum ad
eos rumorem et rogavit ut mitterent aliquos ex
principibus, quibus crederent de munitione Athen-
arum. Suis deinde clam scripsit ut eos qui venissent
retinerent, donec refectis operibus confiteretur
Lacedaemoniis munitas esse Athenas neque aliter
principes eorum redire posse, quam ipse remissus
foret. Quod facile praestiterunt Lacedaemonii, ne
unius interitum multorum morte pensarent.

Androclus and the Lion

66. In Circo Maximo venationis amplissimae pugna
populo dabatur. Multae ibi saevientes ferae, sed
praeter omnia alia leonum immanitas admirationi
fuit, praeterque omnes ceteros unus. Is unus leo
corporis impetu terrificoque fremitu animos oculosque
omnium in sese converterat. Introductus erat inter
complures ceteros ad pugnam bestiarum destinatos
servus viri consularis ; ei servo Androclus nomen
fuit. Quem ille leo ubi vidit procul, repente quasi
admirans stetit, ac deinde sensim ac placide, tamquam noscitabundus, ad hominem accedit. Tum
caudam more adulantium canum clementer ac blande
movet, cruraque hominis et manus, prope iam
exanimati metu, lingua leniter demulcet. Homo
Androclus inter tam atrocis ferae blandimenta amis-
sum animum reciperat, paullatim oculos ad contuen-
dum leonem refert. Tum quasi mutua recognitione
facta laetos et gratulabundos videres hominem et
leonem.

Contd.

67. Qua re admirabili maximi plebis clamores concitati
sunt, accersitusque a C. Caesare Androclus quaesi-
taque causa cur illi atrocissimus leo uni pepercisset.

Ibi Androclus rem mirificam narrat atque admirandam. ' Cum provinciam,' inquit, ' Africam proconsulari imperio meus dominus obtineret, ego ibi iniquis eius et cotidianis verberibus ad fugam sum coactus, et quo mihi tutiores latebrae forent, in camporum et harenarum solitudines concessi, ac si defuisset cibus, consilium fuit mortem aliquo pacto quaerere. Tum sole medio in specum quandam latebrosam me recondo. Neque multo post ad eandem specum venit hic leo, debili altero et cruento pede, gemitus edens et murmura. Postquam introgressus leo, uti re ipsa apparuit, in habitaculum illud suum, videt me procul delitescentem ; mitis accessit, et sublatum pedem ostendere mihi et porrigere quasi opis petendae gratia visus est. Ibi ego stirpem ingentem pede eius haerentem revelli, conceptamque saniem volnere expressi atque detersi cruorem. Illa tunc mea opera levatus, pede in manibus meis posito, recubuit et quievit, atque ex eo die triennium totum ego et leo in eadem specu eodemque victu viximus.'

How Croesus' son gained the gift of speech

68. Filius Croesi regis cum iam fari per aetatem posset, infans erat et cum iam multum adolevisset, item nihil fari quibat. Mutus adeo diu habitus est. Cum in patrem eius, bello magno victum, et urbe in qua erat capta, hostis gladio educto regem esse ignorans invaderet, diduxit adulescens os clamare conans eoque conatu nodum linguae rupit planeque elocutus est clamans in hostem ne rex Croesus occideretur. Tum et hostis gladium reduxit et rex ita vita donatus est et adulescens loqui incepit.

Dilapidations

69. Tabernae mihi duae corruerunt, reliquaeque rimas agunt ; itaque non solum inquilini, sed mures etiam

migraverunt. Hanc ceteri calamitatem vocant, ego
ne incommodum quidem. Ruina rem non fecit
deteriorem, haud scio an etiam fructuosiorem.

A Lesson in Manners

70. Memoriae proditum est, cum Athenis ludis quidam
grandis natu venisset, magno consessu locum nusquam ei datum a suis civibus, cum autem ad Lacedaemonios accessisset, qui, legati cum essent, certo in
loco consederant, consurrexisse omnes illi dicuntur
et senem sessum recepisse ; quibus cum a cuncto
consessu plausus esset multiplex datus, dixisse ex eis
quendam Athenienses scire quae recta essent, sed
facere nolle.

l. 6, *Sessum (supine) recipio,* i.e., offer a seat.

The education of Ovid and his brother
' I lisped in numbers, for the numbers came '

71. Protinus excolimur teneri, curaque parentis
imus ad insignes urbis ab arte viros.
Frater ad eloquium viridi tendebat ab aevo,
fortia verbosi natus ad arma fori ;
at mihi iam puero caelestia sacra placebant,
inque suum furtim Musa trahebat opus.
Saepe pater dixit, ' studium quid inutile temptas ?
Maeonides nullas ipse reliquit opes.'
Motus eram dictis, totoque Helicone relicto
scribere temptabam verba soluta modis.
Sponte sua carmen numeros veniebat ad aptos,
et quod temptabam scribere versus erat.

l. 2, *insignes ab arte* (i.e., *rhetorica*), men distinguished for their
knowledge of rhetoric ; l. 5, *caelestia sacra,* heavenly rites, i.e.,
poetry ; l. 9, *Helicon,* a mountain in Boeotia, sacred to the Muses ;
l. 10, *verba soluta modis,* words freed from metre, i.e., prose.

'Such Men are dangerous'

72.   Absentem qui rodit amicum,
qui non defendit alio culpante, solutos
qui captat risus hominum famamque dicacis,
fingere qui non visa potest, commissa tacere
qui nequit,—hic niger est, hunc tu, Romane, caveto.

Three remarkable omens

73. Deiotarus rex cum ex itinere quodam proposito et
constituto revertisset aquilae admonitus volatu,
conclave illud, ubi erat mansurus si ire perrexisset,
proxima nocte corruit. Itaque persaepe revertit ex
itinere, cum iam progressus esset multorum dierum
viam.

74. Simonides cum ignotum quendam proiectum mortuum
vidisset eumque humavisset haberetque in animo
navem conscendere, moneri visus est, ne id faceret,
ab eo quem sepultura affecerat ; itaque Simonides
rediit, perierunt ceteri qui tum navigaverunt.

75. Cum duo quidem Arcades familiares iter una facerent
et Megaram venissent, alter ad cauponem devertit, ad
hospitem alter. Qui ut cenati quiescebant, concubia
nocte in somnis ille hunc orare visus est ut subveniret,
quod sibi a caupone interitus pararetur ; is primo
perterritus somnio surrexit ; dein cum se collegisset
idque visum pro nihilo habendum esse duxisset,
recubuit ; tum ei dormienti idem ille visus est rogare,
quoniam sibi vivo non subvenisset, ne mortem suam
inultam esse pateretur ; se interfectum in plaustrum
a caupone esse coniectum et supra stercus iniectum ;
petere ut mane ad portam adesset, priusquam plaustrum ex oppido exiret. Hoc vero is somnio com-
motus mane bubulco praesto ad portam fuit ; mortuus erutus est ; caupo re patefacta poenas dedit.

l. 3, *concubia nocte*, early in the night ; l. 7, *pro nihilo habere*,
think nothing of.

The Feast of Damocles

76. Cum quidam ex Dionysii adsentatoribus, Damocles, commemoraret in sermone copias eius, opes, maiestatem dominatus, rerum abundantiam, magnificentiam aedium regiarum, negaretque umquam beatiorem quemquam fuisse, ' Visne igitur,' inquit, ' o Damocle, quoniam haec te vita delectat, ipse eam degustare et fortunam experiri meam ? ' Cum se cupere ille dixisset, collocari iussit hominem in aureo lecto magnificis operibus picto ; aderant unguenta, coronae ; incendebantur odores ; mensae conquisitissimis epulis exstruebantur : fortunatus sibi Damocles videbatur. In hoc medio apparatu fulgentem gladium e lacunari saeta equina aptum demitti iussit, ut impenderet illius beati cervicibus. Itaque nec plenum artis argentum aspiciebat, nec manum porrigebat in mensam : denique exoravit tyrannum ut abire liceret quod iam beatus nollet esse.

A Candidate's Promises, like piecrust, are made to be broken

77. Plerique non eisdem artibus imperium a populo petunt et postquam adepti sunt gerunt ; primo industrii, supplices, modici sunt ; dein per ignaviam et superbiam aetatem agunt. Mihi contra ea videtur. Nam quo pluris est universa respublica quam consulatus aut praetura, eo maiore cura illa administrari quam haec peti debent.

l. 4, *Mihi contra ea videtur*, I maintain the opposite point of view.

Ovid crosses the Ionian sea during a storm

78.   Me miserum ! quantis increscunt aequora ventis,
            erutaque ex imis fervet harena fretis ;
        monte nec inferior prorae puppique recurvae
            insilit et pictos verberat unda deos.

Pinea texta sonant, pulsi stridore rudentes,
ingemit et nostris ipsa carina malis.

l. 4, *picti dei*, painted gods ;   the ship's figure head.

Contd.

Despair during the storm

79. Ipse gubernator tollens ad sidera palmas
exposcit votis, immemor artis, opem.
Quocumque aspexi, nihil est nisi mortis imago,
quam dubia timeo mente, timensque precor.

The real principles of political life

80. Numquam enim in praestantibus republica guber-
nanda viris laudata est in una sententia perpetua
permansio ; sed, ut in navigando tempestati obsequi
artis est, etiamsi portum tenere non queas, cum vero
id possis mutata velificatione assequi, stultum est
eum tenere cum periculo cursum, quem ceperis,
potius quam, eo permutato, quo velis tandem pervenire, sic cum omnibus nobis in administranda
republica propositum esse debeat cum dignitate
otium, non idem semper dicere, sed idem semper
spectare debemus.

l. 9, *Cum dignitate otium*, peace with honour (Cicero's ideal).

Cicero congratulates a friend on his absence from the games

81. Si te dolor aliquis corporis aut infirmitas valetudinis
tuae tenuit quominus ad ludos venires, fortunae
magis tribuo quam sapientiae tuae ; sin haec quae
ceteri mirantur, contemnenda duxisti, et, cum per
valetudinem posses, venire tamen noluisti, utrumque
laetor, et sine dolore corporis te fuisse, et animo
valuisse, cum ea quae sine causa mirantur alii,
neglexeris.

It takes all sorts to make a world

82. Quae barbaria India vastior aut agrestior ? In ea

tamen gente primum ei, qui sapientes habentur,
nudi aetatem agunt et Caucasi nives hiemalemque
vim perferunt sine dolore, cumque ad flammam se
applicaverunt sine gemitu aduruntur ; mulieres vero
in India, cum est cuius earum vir mortuus, in certamen iudiciumque veniunt quam plurimum ille
dilexerit—plures enim singulis solent esse nuptae—
quae est victrix, ea laeta, prosequentibus suis, una
cum viro in rogum imponitur, illa victa maesta
discedit.

The wrong type of friendship

83. Turpe quidem dictu, sed si modo vera fatemur
    vulgus amicitias utilitate probat.
  Cura quid expediat prius est quam quid sit honestum,
    et cum fortuna statque caditque fides.
  Nec facile invenias multis in milibus unum
    virtutem pretium qui putet esse sui.
  Ipse decor, recti facti si praemia desint,
    non movet, et gratis paenitet esse probum.
  Nil nisi quod prodest carum est.

Three more Omens and their Fulfilment

84. Dionysius cum per agrum Leontinum iter faciens
    equum ipse demisisset in flumen, submersus equus
    voraginibus non exstitit ; quem cum maxima con-
    tentione non potuisset extrahere, discessit aegre
    ferens. Cum autem aliquantum progressus esset,
    subito exaudivit hinnitum, respexitque et equum
    alacrem laetus aspexit, cuius in iuba examen apium
    consederat. Quod ostentum habuit hanc vim, ut
    Dionysius paucis post diebus regnare coeperit.

85. Cum Ptolemaeus Alexandri familiaris in proelio telo
    venenato ictus esset eodemque vulnere summo cum
    dolore moreretur, Alexander assidens somno est
    consopitus. Tum secundum quietem visus esse

draco ei dicitur radiculam ore ferens et simul dicere
quo loco illa nasceretur ; eius autem esse vim tantam
ut Ptolemaeum facile sanaret. Cum Alexander
experrectus esset, emissi sunt qui illam radiculam
quaererent ; qua inventa et Ptolemaeus sanatus esse
dicitur et multi milites, qui erant eodem genere teli
vulnerati.

86. Aristoteles scribit Eudemum Cyprium iter in Macedoniam facientem Pheras venisse, quae urbs ab
Alexandro tyranno crudeli dominatu tenebatur ; in
eo igitur oppido ita graviter aegrum Eudemum
fuisse, ut omnes medici diffiderent ; ei visum in
quiete egregia facie iuvenem dicere fore ut perbrevi
convalesceret, paucisque diebus interiturum
Alexandrum tyrannum ; ipsum autem Eudemum
quinquennio post domum esse rediturum. Atque
ita quidem prima statim scribit Aristoteles consecuta :
et convaluisse Eudemum, et ab uxoris fratribus
interfectum tyrannum ; quinto autem anno exeunte,
cum esset spes ex illo somnio in Cyprum illum ex
Sicilia esse rediturum, proeliantem ad Syracusas
occidisse ; ex quo ita illud somnium esse inter-
pretatum, ut, cum animus Eudemi e corpore excesserit, tum domum revertisse videatur.

The pleasures of the Old

87. Ceteri sibi habeant arma, sibi equos, sibi hastas, sibi
clavam et pilam, sibi natationes atque cursus ; nobis
senibus ex lusionibus multis talos relinquant et
tesseras.

A Retort in the Law Courts

88. Egregie Cassius dicenti adulescenti : ' quid me torvo
vultu intueris, Severe ? ' ' Non mehercule ' respondit
' faciebam, sed si sic in oratione tua scripsisti, ecce ! '
et quam potuit truculentissime eum aspexit.

A welcome visitor

89. Periucundus mihi Cincius fuit ante diem III. Kal.
Febr. ante lucem ; dixit enim te esse in Italia seseque
ad te pueros mittere. Quos sine meis litteris ire
nolui, non quo haberem quod tibi scriberem, sed ut
hoc ipsum significarem, mihi tuum adventum sua-
vissimum exspectatissimumque esse. Quare advola
ad nos. Cetera coram agemus. Haec properantes
scripsimus. Quo die venies, utique cum tuis apud me
eris.

Figures drawn in the sand

90. Platonem cum ex alto ignotas ad terras tempestas
et in desertum litus detulisset, timentibus ceteris
propter ignorationem locorum animadvertisse dicunt
in harena geometricas formas quasdam esse descriptas:
quas ut vidisset, exclamavisse ut bono essent animo ;
videre enim se hominum vestigia. Quae videlicet
ille ex doctrinae indiciis interpretabatur.

Hypermnestra's glorious disobedience

91. Una de multis face nuptiali
digna periurum fuit in parentem
splendide mendax et in omne virgo
　　　nobilis aevum,
' Surge ' quae dixit iuveni marito,
' surge, ne longus tibi somnus, unde
non times, detur ; socerum et scelestas
　　　falle sorores,
quae velut nactae vitulos leaenae,
singulos, eheu, lacerant ; ego illis
mollior, nec te feriam neque intra
　　　claustra tenebo.'

l. 1, *fax nuptialis*, marriage torch, a symbol corresponding to
the English wedding-ring.

Never say die

92. Teucer Salamina patremque
     cum fugeret, tamen uda Lyaeo
   tempora populea fertur vinxisse corona,
     sic tristes adfatus amicos :
   ' Quo nos cumque feret melior fortuna parente,
     ibimus, o socii comitesque.
   Nil desperandum Teucro duce et auspice Teucro.
     Certus enim promisit Apollo
   ambiguam tellure nova Salamina futuram.
     O fortes peioraque passi
   mecum saepe viri, nunc vino pellite curas ;
     cras ingens iterabimus aequor.'

l. 7, *Teucro duce*, etc., abl. abs., with Teucer as leader and guide.

Notes from Cicero's Journal of his voyage to Asia Minor
93. Actium venimus a.d. VII Kal. Quinctiles, cum
   quidem Corcyrae muneribus tuis, quae et Araus et
   meus Eutychides opipare congesserant, epulati sumus.
   Actio maluimus iter facere pedibus, qui incommodis-
   sime navigassemus, et Leucatem flectere molestum
   videbatur, actuariis autem minutis Patras accedere
   sine impedimentis non satis visum est decorum.

*The Oracle promises the throne to the one who kisses ' his
mother ' first*
94. Quo postquam ventum est perfectis patris mandatis
   cupido incessit animos iuvenum sciscitandi ad quem
   eorum regnum Romanum esset venturum.   Ex infimo
   specu vocem redditam ferunt : ' imperium summum
   Romae habebit qui vestrum primus, o iuvenes,
   osculum matri tulerit.'   Tarquinii ut Sextus, qui
   Romae relictus fuerat, ignarus responsi expersque
   imperi esset, rem summa ope taceri iubent ; ipsi
   inter se uter prior, cum Romam redisset, matri
   osculum daret, sorti permittunt.   Brutus alio ratus
   spectare Pythicam vocem, velutsi prolapsus cecidisset,

terram osculo contigit, scilicet quod ea communis
mater omnium mortalium esset.

l. 10, *alio spectare*, refer to something else, have another meaning.

Two incidents from Livy. A Battle Scene

95. Hispani postquam in citeriore ripa duo Romanorum
agmina conspexerunt, ut priusquam se iungere atque
instruere possent occuparent eos, castris repente
effusi cursu ad pugnam tendunt. Atrox in principio
proelium fuit, et Hispanis recenti victoria inflatis, et
insueta ignominia milite Romano accenso. Acerrime
media acies, duae fortissimae legiones dimicabant ;
quas cum aliter moveri loco non posse hostis cerneret,
cuneo institit pugnare ; et usque plures confertio-
resque medios urgebant. Ibi postquam laborare aciem
Calpurnius praetor vidit, T. Quinctilium Varum et L.
Iuventium Thalnam legatos ad singulas legiones
adhortandas propere mittit, docere et monere iubet
in illis spem omnem vincendi et retinendae Hispaniae
esse : si illi loco cedant, neminem eius exercitus non
modo Italiam, sed ne Tagi quidem ulteriorem ripam
usquam visurum.

Philippus, King of Macedonia, crosses Mt. Haemus

96. Philippus Maedicam primum et solitudines interia-
centes Maedicae atque Haemo transgressus septimis
demum castris ad radices montis pervenit. Ibi unum
moratus diem ad deligendos quos duceret secum,
tertio die iter est ingressus. Modicus primo labor in
imis collibus fuit. Quantum in altitudinem egredie-
bantur, magis magisque silvestria et invia loca
intrabant ; pervenere deinde in tam opacum iter ut
prae densitate arborum caelum vix conspici posset.
Ut vero iugis appropinquabant, quod rarum est in
altis locis, adeo omnia contecta sunt nebula, ut haud
secus quam nocturno itinere impedirentur.

l. 2, *septimis castris*, i.e., after seven days' march.

*The growth of wealth and the desire for wealth ('getting and
spending we lay waste our powers')*

97. At postquam fortuna loci caput extulit huius,
    et tetigit summos vertice Roma deos,
    creverunt et opes et opum furiosa cupido,
    et, cum possideant plurima, plura petunt.
    Quaerere ut absumant, absumpta requirere certant,
    atque ipsae vitiis sunt alimenta vices.
    In pretio pretium nunc est : dat census honores,
    census amicitias ; pauper ubique iacet.

*Tarquinius' message to his son who is to put to death the
leading men of Gabii*

98. Iamque potens misso genitorem appellat amico,
    perdendi Gabios quod sibi monstret iter.
    Hortus odoratis suberat cultissimus herbis,
    sectus humum rivo lene sonantis aquae :
    illic Tarquinius mandata latentia nati
    accipit et virga lilia summa metit.
    Nuntius ut rediit decussaque lilia dixit,
    filius ' agnosco iussa parentis ' ait.
    Nec mora, principibus caesis ex urbe Gabina
    traduntur ducibus moenia nuda suis.

l. 4, *sectus humum*, ' which has its ground divided into plots
by . . .'; l. 10, *nuda ducibus*, ' stripped of its leading men.'

The Story of Arion and the Dolphin

99. Quod mare non novit, quae nescit Ariona tellus ?
    carmine currentes ille tenebat aquas.
    Saepe sequens agnam lupus est a voce retentus,
    saepe avidum fugiens restitit agna lupum :
    saepe canes leporesque umbra iacuere sub una,
    et stetit in saxo proxima cerva leae.
    Nomen Arionium Siculas impleverat urbes,
    captaque erat lyricis Ausonis ora sonis :

inde domum repetens puppim conscendit **Arion,**
atque ita quaesitas arte ferebat opes.
Forsitan, infelix, ventos undasque timebas,
at tibi nave tua tutius aequor erat.

Contd.

100. Namque gubernator destricto constitit ense
ceteraque armata conscia turba manu.
Quid tibi cum gladio ? dubiam rege, navita, puppim.
non haec sunt digitis arma tenenda tuis.
Ille metu pavidus, ' mortem non deprecor ' inquit,
' sed liceat sumpta pauca referre lyra.'
Dant veniam ridentque moram. Capit ille coronam,
quae possit crines, Phoebe, decere tuos.

Contd.

101. Induerat Tyrio bis tinctam murice pallam :
reddidit icta suos pollice chorda sonos.
Protinus in medias ornatus desilit undas :
spargitur impulsa caerula puppis aqua.
Inde (fide maius) tergo delphina recurvo
se memorant oneri supposuisse novo ;
ille sedens citharamque tenet pretiumque vehendi
cantat et aequoreas carmine mulcet aquas.
Di pia facta vident : astris delphina recepit
Iuppiter et stellas iussit habere novem.

Contd.

Incidents from the life of Hannibal
The declaration of war

102. Tum Romanus sinu ex toga facto, 'Hic' inquit
' vobis bellum et pacem portamus ; utrum placet
sumite.' Sub hanc vocem haud minus ferociter, ut
daret utrum vellet, succlamatum est, et cum is
iterum sinu effuso bellum dare dixisset, accipere se
omnes responderunt, et quibus acciperent animis
iisdem se gesturos.

Hannibal's oath when he was a mere boy

103. Fama est Hannibalem annorum fere novem,
pueriliter blandientem patri Hamilcari ut duceretur
in Hispaniam, cum perfecto Africo bello exercitum
eo traiecturus sacrificaret, altaribus admotum iure
iurando adactum se cum primum posset hostem fore
populo Romano. Angebant ingentis spiritus virum
Sicilia Sardiniaque amissae ; nam et Siciliam nimis
celeri desperatione rerum concessam et Sardiniam
inter motum Africae fraude Romanorum inter-
ceptam.

His character and qualities

104. Plurimum audaciae ad pericula capessenda, plurimum consilii inter ipsa pericula erat ; nullo labore
aut corpus fatigari aut animus vinci poterat ; caloris
ac frigoris patientia par ; cibi potionisque desiderio
naturali, non voluptate modus finitus ; vigiliarum
somnique nec die nec nocte discriminata tempora ;
id quod gerendis rebus superesset quieti datum ; ea
neque molli strato neque silentio accersita ; multi
saepe militari sagulo opertum humi iacentem inter
custodias stationesque militum conspexerunt.
Vestitus nihil inter aequales excellens ; arma atque
equi conspiciebantur. Equitum peditumque idem
longe primus erat ; princeps in proelium ibat,
ultimus conserto proelio excedebat.

He besieges Saguntum and is wounded

105. Dum ea Romani parant consultantque, iam Saguntum summa vi oppugnabatur . . .
Ut vero Hannibal ipse, dum murum incautius
subit, adversum femur tragula ictus cecidit, tanta
fuga et trepidatio fuit ut non multum abesset quin
opera et vineae desererentur.

His dream

106. Ibi fama est in quiete visum ab eo iuvenem divina
specie, qui se ab Iove diceret ducem in Italiam
Hannibali missum : proinde sequeretur neque umquam a se deflecteret oculos.   Pavidum primo,
nusquam circumspicientem aut respicientem secu-
tum ; deinde cura ingenii humani, cum quidnam id
esset quod respicere vetitus esset agitaret animo,
temperare oculis nequivisse ; tum vidisse post sese
serpentem mira magnitudine cum ingenti arborum
ac virgultorum strage ferri ac post insequi cum
fragore caeli nimbum.   Tum quae moles ea quidve
prodigii esset quaerentem audisse vastitatem Italiae
esse : pergeret porro ire nec ultra inquireret sine-
retque fata in occulto esse.

l. 3 and l. 13, the Subjunctives are Reported Commands, ' let him
follow . . .,' etc.

A Ruse

107. Postquam per Pyrenaeum saltum traduci exercitus
est coeptus rumorque per barbaros manavit certior
de bello Romano, tria milia Carpetanorum peditum
iter averterunt.   Constabat non tam bello motos
quam longinquitate viae insuperabilique Alpium
transitu.   Hannibal, quia revocare aut vi retinere
eos anceps erat, ne ceterorum etiam feroces animi
irritarentur, supra septem milia hominum domos
remisit, quos et ipsos gravari senserat, Carpentanos
quoque a se dimissos simulans.

His achievements

108.   Additur imperiis Hispania, Pyrenaeum
transilit ; opposuit natura Alpemque nivemque :
diducit scopulos et montem rumpit aceto.
Iam tenet Italiam, tamen ultra pergere tendit :
' Actum ' inquit ' nihil est nisi Poeno milite portas
frangimus et media vexillum pono Subura.'

l. 6, *Subura*, a district of Rome.

The panic in Italy

100. Fama per Ausoniae turbatas spargitur urbes,
nubiferos montes et saxa minantia caelo
accepisse iugum Poenosque per invia vectos :
narrat et Herculei superantem facta laboris
descendisse ducem, volucrique citatior Euro
terrificis quatit attonitas rumoribus arces
Pascit rumorem belli pavor ; ilicet omnem
Ausoniam Mavors movet, et trepidatur in arvis.
Deseruere Lares matres quas tarda senectus
impedit, et vitae ducentes ultima fila
grandaevi fugere senes, tum crine soluto
insequitur coniunx, dextra laevaque trahuntur
parvi non aequo comitantes ordine nati.

The Fury of the fighting at Lake Trasimenus

110. Tres ferme horas pugnatum est et ubique atrociter,
tantusque fuit ardor animorum, adeo intentus pugnae
animus, ut eum motum terrae qui multarum urbium
Italiae magnas partes prostravit avertitque cursu
rapidos amnes, mare fluminibus invexit, montes
lapsu ingenti proruit, nemo pugnantium senserit.

Headlong flight of the Romans

111. Fuga inde coepit. Pars magna, ubi locus fugae
deest, per prima vada paludis in aquam progressi,
quoad capitibus exstare possunt, sese immergunt.
Fuere quos inconsultus pavor nando etiam capessere
fugam impulerit, quae ubi immensa ac sine spe erat,
aut deficientibus animis hauriebantur gurgitibus aut
nequicquam fessi vada retro aegerrime repetebant
atque ibi ab ingressis aquam hostium equitibus
passim trucidabantur. Sex milia fere ex saltu
evasere.

Minucius' candid confession of folly

112. Saepe ego audivi, milites, eum primum esse virum

qui ipse consulat quid in rem sit ; secundum eum
qui bene monenti oboediat ; qui nec ipse consulere
nec alteri parere sciat, eum extremi ingenii esse.

After Cannae

113. Septem milia hominum in minora castra, decem in
maiora, duo fere in vicum ipsum Cannas perfugerunt ;
qui extemplo ab equitibus nullo munimento tegente
vicum circumventi sunt. Consul alter cum quinquaginta fere equitibus Venusiam perfugit. Quadra-
ginta quinque milia quingenti pedites, duo milia
septingenti equites caesi dicuntur ; in his ambo
consulum quaestores et undetriginta tribuni militum.

Haec est pugna Cannensis, Alliensi cladi nobilitate
par, ceterum ut illis quae post pugnam acciderunt
levior, quia ab hostibus est cessatum, sic strage
exercitus gravior foediorque. Fuga namque ad
Alliam sicut urbem prodidit, ita exercitum servavit :
ad Cannas fugientem consulem vix quinquaginta
secuti sunt, alterius morientis prope totus exercitus
fuit.

Hannibal does not follow up his victory

114. Hannibali victori cum ceteri circumfusi gratularentur
suaderentque ut, tanto perfunctus bello, diei quod
reliquum esset noctisque insequentis quietem et ipse
sumeret et fessis daret militibus, Maharbal,
praefectus equitum, minime cessandum ratus,
' Immo, ut quid hac pugna sit actum scias, die
quinto ' inquit ' victor in Capitolio epulaberis ! '
Hannibali nimis laeta res est visa maiorque quam
ut statim capere animo posset. Itaque voluntatem
se laudare Maharbalis ait ; ad consilium pensandum
temporis opus esse. Tum Maharbal : ' Vincere
scis, Hannibal : victoria uti nescis.'

l. 8, *maior quam ut* . . ., too great to . . .

Kindly treatment of the fugitives (1) *at Canusium*

115. Eos qui Canusium perfugerant mulier Apula, nomine
Busa, genere clara et divitiis, frumento veste viatico
etiam iuvit, pro qua ei munificentia postea, bello
perfecto, a senatu honores habiti sunt.

(2) *At Venusia*

116. Eo tempore Venusiam ad consulem ad quattuor
milia et quingenti pedites equitesque, qui sparsi
fuga per agros fuerant, pervenere. Eos omnes
Venusini per familias curandos cum divisissent, in
singulos equites togas et tunicas et nummos quinos
vicenos, et pediti denos et arma, quibus deerant,
dederunt ; ceteraque publice ac privatim hospitaliter
facta, certatumque ne a muliere Canusina populus
Venusinus officiis vinceretur.

PART III—VOCABULARIES

1

simia -ae *f.*	ape
turpis -is -e	disgusting

2

lepus -oris *m.*	hare
vulpes -is *f.*	fox

3

eripio -ere -ui -reptum	take away
largior -iri	bestow

4

parvi	of little value
foris	abroad

5

asper -era -erum	rough, difficult
tumultuor -ari	be in a panic

6

consuetudo -inis *f.*	custom, practice, method
aegroto -are	be ill
leviter	slightly
leniter	gently
curatio -onis *f.*	method of treatment
adhibeo -ēre	apply

8

valeo -ēre	be in good health

9

illacrimabilis -is -e	unwept
urgeo -ēre ursi	overwhelm
careo -ēre + *abl.*	be without
vates -is *m.*	poet

10

modus -i *m.*	due measure
ultra citraque	beyond and short of
nequeo -ire -ivi	be unable
rectus -a -um	right

11

vitium -i *n.*	failing, vice

14

paenula -ae *f.*	overcoat
pluit (*impers.*)	it is raining
opus est	there is need

15

libellus -i *m.*	petition
porrigo -ere -rexi -rectum	present
as assis *m.*	penny

16

arripio -ere -ripui -reptum	pick up

18

contio -onis *f.*	assembly
advoco -are	call
collido -ere -lisi -lisum	strike together
excutio -ere -cussi -cussum	shake out, produce
sedo -are	calm down
attritus -us *m.*	rubbing together

19

castigo -are	punish, chastise
rapina -ae *f.*	plunder
species ·ei *f.*	appearance, impression
praebeo -ēre	present, give

20

taeter -tra -trum	foul
ferratus -a -um	studded with iron
postis -is *m.*	door post
refringo -ere -fregi -fractum	break down
horridus -a -um	bristling

21

argumentum -i *n.*	proof
ingenuus -a -um	freeborn

22

exemplar -aris *n.*	model
verso -are	turn over, thumb
nocturnus -a -um	by night
diurnus -a -um	by day

23

osculum -i *n.*	kiss
praeripio -ere -ripui -reptum	be first to snatch
dulcedo -inis *f.*	thrill of pleasure

24

genus -eris *n.*	family
liberi -orum *m. (pl.)*	children

25

incipio -ere -cepi -ceptum	begin
perbibo -ere -bibi	drink in
disciplina -ae *f.*	training
instituo -ere -ui -utum	bring up, educate, equip
fluo -ere fluxi fluxum	flow, be derived

26

crustulum -i *n.*	bun
elementum -i *n.*	rudiment, alphabet

27

praecipio -ere -cepi -ceptum	teach
cito	quickly
docilis -is -e	easily taught, receptive

28

intellectus -us *m.*	understanding

29

caedo -ere cecidi caesum	beat, flog
deformis -is -e	hideous
servilis -is -e	fit for slaves
illiberalis -is -e	ungentlemanly
obiurgatio -onis *f.*	censure, scolding
plaga -ae *f.*	blow
mancipium -i *n.*	slave
duro -are	harden
opus est + *abl.*	there is need of
assiduus -a -um	diligent
exactor -oris *m.*	supervisor
asto -are -stiti	stand by

30

excludo -ere -clusi -clusum	forbid, bar
irrito -are	stimulate
infantia -ae *f.*	childhood, i.e., the young
gratia + *gen.*	for the sake of (expressing purpose)
eburneus -a -um	made of ivory
lusus -us *m.*	play
tracto -are	handle
intueor -ēri	look at
nomino -are	call by name

31

ago -ere egi actum	plead
sententia -ae *f.*	opinion
quemadmodum	how
linea -ae *f.*	line
latus -eris *n.*	side

32

cera -ae *f.*	wax writing tablet, foolscap
latus -a -um	broad, large-sized
experior -iri -pertus	experience, know
alioqui	otherwise
sermo -onis *m.*	essay
versus -us *m.*	line
metior -iri mensus	measure

33

induo -ere -ui -utum	put on
scientia -ae *f.*	learning

34

adsurgo -ere -surrexi -surrec-tum	get up, rise to the feet
exsulto -are	jump about
modicus -a -um	restrained
testimonium -i *n.*	approval, applause

36

excito -are	rouse
ingenium -i *n.*	mind
aequalis -is -e	contemporary, fellow pupil
committo -ere -misi -missum	engage in rivalry
materia -ae *f.*	subject-matter
propono -ere -posui -positum	put before
aufero -ferre abstuli ablatum	carry off

37

cantio -onis *f.*	refrain, sing-song
spectaculum -i *n.*	sight

ligneus -a -um	wooden
incendium -i *n.*	fire, burning
umbra -ae *f.*	shade, ghost

38

escendo -ere -scendi -scensum	embark
sentio -ire sensi sensum	perceive
pereo -ire -ii -itum	perish, be put to death
cogo -ere coegi coactum	compel, force
aperio -ire aperui apertum	disclose
polliceor -ēri	promise
misericordia -ae *f.*	compassion
salum -i *n.*	open sea, surge
patior -i passus	allow
expono -ere -posui -positum	put ashore

39

iocus -i *m.*	jest
irrideo -ēre -risi -risum	mock
cavea -ae *f.*	cage
pullus -i *m.*	chicken
pascor -i pastus	feed
mergo -ere mersi mersum	drown
edo edere *or* esse edi esum	eat
risus -us *m.*	mockery, ribaldry
clades -is *f.*	disaster

40

defectio -onis *f.*	eclipse
item	likewise
sidus -eris *n.*	star
motus -us *m.*	movement
numerus -i *m.*	number, *pl.* calculation, mathematics
lumen -inis *n.*	light

41

ostendo -ere -tendi -tentum	show, prove
commodus -a -um	convenient, advantageous
olea -ae *f.*	olive tree

floreo -ēre	flower
coemo -ere -emi -emptum	buy up
animadverto -ere -verti -versum	notice
ubertas -atis *f.*	plenty, richness, rich crop
defectio -onis *f.*	eclipse
praedico -ere -dixi -dictum	foretell

42

expeditus -a -um	lightly equipped
versor -ari	be active
laboro -are	be in difficulties
succurro -ere -curri -cursum + *dat.*	go to the help of
ferio -ire	strike
strenuus -a -um	energetic
officium -i *n.*	duty
exsequor -i -secutus	perform
incruentus -a -um	bloodless
adipiscor -i -eptus	win
occido -ere -cidi -casum	fall
viso -ere visi visum	visit
spolio -are	despoil
volvo -ere volvi volutum	turn over
cadaver -eris *n.*	corpse
hospes -itis *m.* and *f.*	friend
cognatus -i *m.*	relative
reperio -ire repperi repertum	discover

43

occasus -us *m.* (solis)	the West
ortus -us *m.*	the East
domo -are domui domitum	subdue
pareo -ēre + *dat.*	obey
affluo -ere -fluxi -fluxum	be abundant
perdo -ere -didi -ditum	destroy
perditum eo (ire ii itum)	be bent on destroying
decretum -i *n.*	decree

coniuratio -onis *f.*	conspiracy
patefacio -ere -feci -factum	disclose
morbus -i *m.*	disease
invado -ere -vasi -vasum	attack
novae res -arum rerum *f.*	revolution
studium -i *n.*	desire
inceptum -i *n.*	attempt
probo -are	approve
opes -um *f. (pl.)*	wealth
invideo -ēre -vidi -visum + *dat.*	envy
extollo -ere	extol
exopto -are	long for
studeo -ēre	desire
egestas -tatis *f.*	need, poverty
damnum -i *n.*	loss

44

sceleratus -a -um	wicked
flecto -ere flexi flexum	turn (back)
numerus -i *m.*	full complement
desum -esse -fui	be lacking
plangor -oris *m.*	beating the breast, i.e., moaning
verber -eris *n.*	blow
iacto -are	wave
candidus -a -um	white
velamen -inis *n.*	cloth
virga -ae *f.*	stick
obliviscor -i oblitus + *gen.*	forget

45

recolo -ere -colui -cultum	recall to mind
germana -ae *f.*	sister
diffundo -ere -fudi -fusum	loosen
vaticinor -ari	prophesy
harena -ae *f.*	sand
semen -inis *n.*	seed

mando -are	entrust
proficio -ere -feci -fectum	avail
aro -are	plough
iuvenca -ae *f.*	heifer

46

essedum -i *n.*	war-chariot (of the Gauls and Britons)
perequito -are	ride through
strepitus -us *m.*	rattling
rota -ae *f.*	wheel, chariot
ordo -inis *m.*	rank
perturbo -are	throw into confusion
turma -ae *f.*	squadron
me insinuo -are	make my way into
desilio -ire -silui -sultum	jump down
auriga -ae *m.*	charioteer
paulatim	little by little
currus -us *m.*	chariot
conloco -are	station
premo -ere pressi pressum	press hard
expeditus -a -um	ready to hand
receptus -us *m.*	retreat
stabilitas -tatis *f.*	firmness
praesto -are -stiti -statum	display
usus -us *m.*	practice
cotidianus -a -um	daily
efficio -ere -feci -fectum ut ...	contrive to
declivis -is -e	steep
praeceps -cipitis	precipitous
incito -are	spur on
sustineo -ēre -ui -tentum	pull up
moderor -ari	control
flecto -ere flexi flexum	turn
temo -onis *m.*	shaft
iugum -i *n.*	yoke
insisto -ere -stiti	stand on
citissimus -a -um	very quick
consuesco -ere -suevi -suetum	become accustomed, *pf.* be accustomed

47

antefero -ferre -tuli -latum	prefer
munitio -onis *f.*	defence, fortification
specto -are	look for
confertus -a -um	dense, closely packed
existimatio -onis *f.*	opinion, judgment
traicio -ere -ieci -iectum	pierce
percutio -ere -cussi -cussum	strike down
facultas -tatis *f.*	opportunity, chance

48

verutum -i *n.*	javelin
balteus -i *m.*	belt
moror -ari	hamper
subvenio -ire -veni -ventum + *dat.*	come to the help of
confestim	immediately
comminus	at close quarters
rem gero -ere gessi gestum	fight an action
subsidium -i *n.*	assistance
diiudico -are	decide
uter . . . utri	which of the two . . . the other

49

contubernalis -is *m.*	friend (tent companion)
agellus -i *m.*	small estate
stomachus -i *m.*	taste, fancy
sollicito -are	rouse, tickle
modus -i *m.*	extent, moderate size
expono -ere -posui -positum	set forth, explain
praediolum -i *n.*	small estate
salubriter	advantageously

50

exoro -are	placate
saltem	at least
desidia -ae *f.*	idleness
fruor -i fructus + *abl.*	enjoy

51

dispono -ere -posui -positum	dispose, organise
amoene	pleasantly
lectito -are	read frequently
addisco -ere -didici	learn something new
senesco -ere senui	grow old
decet (*impers.*)	it is fitting
impertio -ire	give a share of, bestow

52

lautus -a -um	polished
sordidus -a -um	mean
vilis -is -e	cheap
minutus -a -um	tiny, exiguous
laguncula -ae *f.*	small bottle
discribo -ere -scripsi -scriptum	measure out
gradatim	according to rank
animadverto -ere -verti -versum	notice
libertus -i *m.*	freedman
recumbo -ere -cubui	sit at table
probo -are	approve
nota -ae *f.*	branding, censorial classification
torus -i *m.*	couch
convictor -oris *m.*	boon companion
consto -are -stiti	cost

53

satelles -itis *m.*	body guard
ictus (-us) fulmineus *m.*	thunderbolt
lucrum -i *n.*	gain, avarice
exitium -i *n.*	destruction
diffindo -ere -fidi -fissum	split open
subruo -ere -rui -rutum	undermine
aemulus -i *m.*	rival
munus -eris *n.*	gift, bribe
inlaqueo -are	ensnare

54

lavor -ari	bathe

fauces -ium *f.*	throat
os oris *n.*	face
verbero -are	beat
venter -tris *m.*	belly
ferveo -ēre ferbui	be hot
excipio -ere -cepi -ceptum	pick up
comprehendo -ere -di -sum	catch, arrest
requiro -ere -quisivi -situm	trace
ultio -onis *f.*	revenge
decedo -erc -cessi -cessum	die
vindico -are	avenge

55

intersum -esse -fui + *dat.*	attend
officium -i *n.*	ceremony
toga (-ae) virilis *f.*	coming of age
sponsalia -um *n.* (*pl.*)	betrothal
signo -are	sign, witness
testamentum -i *n.*	will
reputo -are	reflect
inanis -is -e	futile
secedo -ere -cessi -cessum	retire
recordatio -onis *f.*	recollection
fultura -ae *f.*	support, refreshment, reinvigoration
me paenitet -ēre -uit	I regret
carpo -ere carpsi carptum	pull to pieces, criticise
reprehendo -ere -di -sum	censure
parum	too little
commode	aptly
sollicito -are	trouble
inquieto -are	disturb
libellus -i *m.*	little book, writing

56

eximius -a -um	remarkable
genus -eris *n.*	family
intendo -cre -tendi -tentum	turn
trepido -are	be in a panic

calcar -is *n.*	spur
subdo -ere -didi -ditum	apply
cuspis -idis *f.*	spear
umbo -onis *m.*	boss of the shield
resupino -are	throw on the back
repeto -ere -ivi -itum	attack again
exsanguis -is -e	faint through loss of blood, lifeless
abscindo -ere -scidi -scissum	cut off
spiculum	spear point

57

coeptum -i *n.*	undertaking
opifex -ficis *m.* and *f.*	craftsman
libro -are	balance, poise
pendeo -ēre pependi pensum	hang
limes -itis *m.*	path
demissus -a -um	low
gravo -are	weigh down
penna -ae *f.*	wing
celsus -a -um	high
aduro -ere -ussi -ustum	scorch
accommodo -are	fit on
umerus -i *m.*	shoulder
gena -ae *f.*	cheek
levo -are	lift
damnosus -a -um	perilous, fraught with disaster
erudio -ire	teach

58

harundo -inis *f.*	reed, fishing rod
laevus -a -um	left
rapidus -a -um	devouring, burning
vicinia -ae *f.*	nearness
mollio -ire	soften, melt
cera -ae *f.*	wax
tabesco -ere tabui	begin to melt
lacertus -i *m.*	arm
remigium -i *n.*	oars

careo -ēre + *abl.*   be without
traho -ere traxi tractum   draw, derive

59

devoveo -ēre -vovi -votum   curse
condo -ere -didi -ditum   hide, bury
tellus -uris *f.*   land
sepelio -ire -ivi ultum   bury

60

nimium   too
temerarius -a -um   rash
labo -are   be loosened
tenuis -is -e   thin
oborior -iri -ortus   rise up over
viridis -is -e   green

61

accedo -ere -cessi -cessum   be added
carpo -ere carpsi carptum   pluck away, feed on
hio -are   yawn, open wide
rigeo -ēre   stiffen
spina -ae *f.*   thorn
amitto -ere -misi missum   lose
canus -a -um   white, hoary
capillus -i *m.*   hair
ruga -ae *f.*   wrinkle
molior -iri   build up
duro -are   last, endure
adstruo -ere -struxi -structum   add to
rogus -i *m.*   funeral
ingenuus -a -um   freeborn, noble
pectus -oris *n.*   heart, intellect
edisco -ere -didici   learn thoroughly

62

pecus -udis *f.*   cattle
fera -ae *f.*   wild beast
ferio -ire   strike, beat

ilex -icis *f*.	evergreen oak
lentus -a -um	leisurely
bicornis -is -e	with two horns
siccus -a -um	dry
udus -a -um	damp, wet
cesso -are	come to a standstill
pascuum -i *n*.	pasture
calco -are	trample
certo -are	compete
daedalus -a -um	skilful
apis -is *f*.	bee
intermitto -ere -misi -missum	give a rest to

63

diurnus -a -um	of the day
sero -ere sevi satum	sow, plant
pubesco -ere pubui	ripen, flourish
pratum -i *n*.	meadow
indocilis -is -e	untaught
guttur -uris *n*.	throat
verno -are	renew the Spring, begin to sing

64

sacellum -i *n*.	shrine
vehor -i vectus	ride
cingo -ere cinxi cinctum	gird, equip
raeda -ae *f*.	carriage
rixa -ae *f*.	quarrel
taberna -ae *f*.	shop
exturbo -are	force out
lateo -ēre	lurk, hide
cadaver -eris *n*.	corpse
saucius -a -um	wounded
lectica -ae *f*.	litter

65

suscito -are	raise, build up
festinanter	hurriedly

simulo -are	feign
extraho -ere -traxi -tractum	drag out
tergiversatio -onis f.	subterfuge
reficio -ere -feci -fectum	repair
praesto -are -stiti -stitum	guarantee
interitus -us m.	death
penso -are	pay for, compensate

66

venatio -onis f.	hunting, wild beast show
immanitas -tatis f.	huge bulk
destino -are	destine
sensim	slowly
noscitabundus -a -um	recognising
cauda -ae f.	tail
mos moris m.	manner
adulor -ari	fawn
crus cruris n.	leg
exanimatus -a -um	dead
demulceo -ēre -mulsi -mulsum	lick
blandimentum -i n.	fawning
recipero -are	recover
contueor -ēri	gaze at

67

accerso -ere -ivi -itum	summon
parco -ere peperci + dat.	spare
obtineo -ēre	hold, be in charge of
cotidianus -a -um	daily
verber -eris n.	blow, lash
latebra -ae f.	hiding place
concedo -ere -ccssi -cessum	retire
pactum -i n.	way, method
specus -us m. and f.	cave
recondo -ere -didi -ditum	hide
debilis -is -e	weak, injured, limping
gemitus -us m.	groan
edo -ere -didi -ditum	utter
habitaculum -i n.	lair

delitesco -ere -litui — lurk, cower
mitis -is -e — gentle
porrigo -ere -rexi -rectum — hold out
opem -is *f.* — help
stirps -is *f.* — thorn
revello -ere -velli -vulsum — remove
concepta sanies — matter
detergeo -ēre -tersi -tersum — wipe away
cruor -oris *m.* — blood
triennium -i *n.* — three years
victus -us *m.* — food, way of living

68

(for) fari — speak
infans -antis — unable to speak
adolesco -ere -evi -ultum — grow up
queo quire quivi — be able
diduco -ere -duxi -ductum — open
nodus -i *m.* — knot

69

taberna -ae *f.* — shop
rima -ae *f.* — crack
inquilinus -i *m.* — lodger
mus -ris *m.* — rat
incommodum -i *n.* — inconvenience
haud scio an — perhaps
fructuosus -a -um — profitable

70

ludi -orum *m.* (*pl.*) — the games
consessus — assembly
plausus — applause

71

viridis -is -e — green, tender
forum -i *n.* — forum, i.e., law courts
furtim — secretly

Maeonides -ae *m.*	Homer
numeri -orum *m.* (*pl.*)	numbers, i.e., rhythm, poetry

72

rodo -ere rosi rosum	backbite, carp at
solutus -a -um	merry, unrestrained, jovial
capto -are	catch at, try to win
dicax -acis	witty
commissum -i *n.*	secret entrusted to one
nequeo -ire -quivi	be unable

73

volatus -us *m.*	flight
conclave -is *n.*	room
pergo -ere -rexi -rectum	continue, persist

75

caupo -onis *m.*	innkeeper
hospes -itis *m.*	friend
deverto -ere -verti -versum	turn aside, go off
cenatus -a -um	having dined
interitus -us *m.*	death
somnium -i *n.*	dream
me colligo -ere -legi -lectum	recover
inultus -a -um	unavenged
plaustrum -i *n.*	waggon
stercus -oris *n.*	dung
bubulcus -i *m.*	cowherd
praesto sum (esse fui) + *dat.*	confront
eruo -ere -rui -rutum	dig out
patefacio -ere -feci -fectum	disclose
poenas do (dare dedi datum)	be punished

76

adsentator oris *m.*	flatterer
commemoro -are	mention
aedes -ium *f.*	house, palace
delecto -are	delight
degusto -are	taste

unguentum -i *n.*	perfume, ointment
corona -ae *f.*	wreath
incendo -ere -cendi -censum	burn
conquisitus -a -um from con- quiro	exquisite, costly
exstruo -ere -struxi -structum	pile up
epulae -arum *f.* (*pl.*)	feast
apparatus -us *m.*	spread
lacunar -is *n.*	vaulted ceiling
saeta -ae *f.*	hair
cervix -icis *f.*	neck

77

adipiscor -i -eptus	obtain, win
ignavia -ae *f.*	laziness
ago -ere egi actum	spend
pluris (*gen.*)	worth more
consulatus -us *m.*	consulship
praetura -ae *f.*	praetorship

78

eruo -ere -rui -rutum	churn up
ferveo -ēre ferbui	boil
fretum -i *n.*	strait, depth of the sea
prora -ae *f.*	prow
puppis -is *f.*	stern
insilio -ire -silui -sultum	leap onto
texta *n.* (*pl.*) (*from* texo)	woven planks
rudens -ntis *m.*	cable
stridor -oris *m.*	howling of a gale
ingemo -ere -gemui -gemitum	groan under

79

gubernator -oris *m.*	helmsman
tollo -ere	raise
palma -ae *f.*	palm of the hand
votum -i *n.*	prayer
exposco -ere -poposci	demand
immemor -oris + *gen.*	forgetting

80

praestans -ntis	outstanding
permansio -onis f.	obstinate persistence
tempestas -tatis f.	weather, storm
obsequor -i -secutus + *dat.*	bow to
portus -us m.	harbour
velificatio -onis f.	sailing
specto -are	aim at

81

infirmitas -tatis f. *with* val-etudinis	ill health
teneo -ēre quominus	prevent from . . .
tribuo -ere -ui -utum	put down to
duco -ere duxi ductum	think

82

barbaria -ae f.	foreign country
perfero -ferre -tuli -latum	endure
aduro -ere -ussi -ustum	burn
certamen -inis n.	competition
diligo -ere -lexi -lectum	love
nupta -ae f.	bride
rogus -i m.	funeral pyre

83

probo -are	commend
expedit -ire	be expedient
pretium -i n.	reward
decor -oris m.	honour
gratis	for nothing, without reward
probus -a -um	honest
prosum prodesse profui	be useful

84

vorago -inis f.	swirling water
contentio -onis f.	struggle, effort
aegre fero -ferre -tuli -latum	be vexed
hinnitus -us m.	neighing
alacer -cris -cre	brisk, lively

iuba -ae *f.*	crest, mane
examen -inis *n.*	swarm
ostentum -i *n.* (*from* ostendo)	thing shown, appearance

85

venenatus -a -um	poisoned
assideo -ēre -sedi -sessum	sit beside
consopior -iri	fall asleep
secundum quietem	in a dream
draco -onis *m.*	dragon
radicula -ae *f.*	small root
sano -are	cure
expergiscor -i -perrectus	wake up

86

diffido -ere -fisus sum	despair
intereo -ere -ii -itum	die
quinquennium -i *n.*	five years
somnium -i *n.*	dream
occido -ere -cidi -casum	fall, be killed
revertor -i (*dep.*) *pf. Act.* -verti	return

87

clava -ae *f.*	club, foil
pila -ae *f.*	ball
natatio -onis *f.*	swimming
lusio -onis *f.*	game
talus -i *m.*	knuckle bone (dice with four faces)
tessera -ae *f.*	dice (with six faces)

88

torvus -a -um	scowling
intueor -ēri	look at
truculentus -a -um	bloodthirsty

89

advolo -are	hurry to
utique	in any case, certainly

90

defero -ferre -tuli -latum	carry out of one's course
animadverto -ere -verti -versum	notice
bono esse animo	be of good cheer
indicium -i *n.*	evidence, indication
interpretor -ari	infer

91

periurus -a -um	false, forsworn
mendax -acis	lying, deceitful
aevum -i *n.*	age
maritus -i *m.*	husband
scelestus -a -um	criminal
vitulus -i *m.*	calf
leaena -ae *f.*	lioness
nanciscor -i nactus	light upon
singuli	one by one
lacero -are	mangle
mollis -is -e	tender
ferio -ire	strike
claustrum	bar, barrier

92

udus -a -um	damp
tempora -um *n.*	temples (of head)
populeus -a -um	of poplar
(adfor) -fari -fatus	address
ambiguus -a -um	doubtful, i.e., of twin name
pello -ere pepuli pulsum	banish
itero -are	cross again

93

Quinctilis -is -e	of July
opipare	lavishly
congero -ere -gessi -gestum	pile up
epulor -ari	feast
incommode navigo -are	have a disagreeable crossing
flecto -ere flexi flexum	turn, round

molestus -a -um	troublesome, distasteful
actuarium -i *n.*	swift sailer
minutus -a -um	small
impedimenta -orum *n.* *(pl.)*	baggage
decorus -a -um	seemly

94

mandatum -i *n.*	command, commission
sciscitor -ari	enquire, learn by enquiry
specus -us *m.*	cave
osculum (-i *n.*) fero	kiss
expers -pertis + *gen.*	without
taceo -ēre	be silent (about), conceal
sors sortis *f.*	lot
alio	in a different direction, otherwise
specto -are	look, mean

95

citerior -ius	nearer
instruo -ere -struxi -structum	draw up
occupo -are	attack first
principium -i *n.*	beginning
insuetus -a -um	unwonted
accendo -ere -cendi -censum	infuriate
dimico -are	fight
cuneus -i *m.*	wedgelike formation
insisto -ere -stiti -stitum	begin
confertus -a -um	closely packed, dense
laboro -are	be in difficulties
loco cedo -ere cessi cessum	give ground

96

radix -icis *f.*	root, foot
invius -a -um	pathless
opacus -a -um	dark
prae + *abl.*	because of
appropinquo -are + *dat.*	approach
nebula -ae *f.*	mist

97

quaero -ere quaesivi -situm	gain
absumo -ere -sumpsi -sumptum	spend
certo -are	vie
vicem -is *f.*	change
alimentum -i *n.*	food
pretium -i *n.*	value, money
census -us *m.*	wealth

98

seco -are secui sectum	cut, divide
virga -ae *f.*	wand, stick
meto -ere messui messum	cut off
decutio -ere -cussi -cussum	strike down
agnosco -ere -novi -nitum	recognise, understand

99

agna -ae *f.*	lamb
lepus -oris *m.*	hare
cerva -ae *f.*	deer
lea -ae *f.*	lioness

100

conscius -a -um	guilty
puppis -is *f.*	boat
deprecor -ari	seek to escape
refero -ferre rettuli relatum	tell, relate
venia -ae *f.*	permission
deceo -ere	grace, become
also decet (*impers.*)	it is becoming

101

induo -ere -dui -dutum	put on
tingo -ere tinxi tinctum	dip, dye
murex -icis *m.*	purple dye
palla -ae *f.*	robe
pollex -icis *m.*	thumb

memoro -are	relate
cithara -ae f.	lyre
pretium vehendi	price for carrying, fare
mulceo -ēre mulsi mulsum	soothe

102

sinus -us m.	fold (of the robe)

103

blandior -iri + dat.	coax
admoveo -ēre -movi -motum	bring up to
altare -is n.	altar
ius iurandum (iuris -i) n.	oath
adigo -ere -egi -actum	bind
ango -ere	embitter
concedo -ere -cessi -cessum	give up
fraus -dis f.	trickery, treachery
intercipio -ere -cepi -ceptum	steal

104

capesso -ere -ivi -itum	undertake
calor -oris m.	heat
potio -onis f.	drink
modus -i m.	measure, amount
finio -ire	limit
discrimino -are	mark off, apportion
stratum -i n.	couch
accerso -ere -ivi -itum	induce, summon
sagulum -i n.	military cloak
operio -ire -perui -pertum	cover, wrap
vestitus -us m.	clothing

105

femur -oris n.	thigh
tragula -ae f.	javelin
non multum abest quin . . .	it is not far short of . . .
opus -eris n.	siege work
vinea -ae f.	shed, mantlet

106

animo agito -are	revolve in the mind, wonder
tempero -are + *dat.*	control
virgultum -i *n.*	brushwood
strages -is *f.*	wreckage
fragor -oris *m.*	crash
moles -is *f.*	havoc
in occulto	hidden

107

saltus -us *m.*	pass
mano -are	get abroad
longinquitas -tatis *f.*	length, distance
transitus -us *m.*	crossing
anceps -cipitis	dangerous
gravor -ari	be reluctant, be disgruntled

108

transilio -ire -silui	leap over
diduco -ere -duxi -ductum	split
scopulus -i *m.*	rock
acetum -i *n.*	vinegar
ultra	further
vexillum -i *n.*	standard

109

minor + *dat.*	threaten
invius -a -um	pathless
supero -are	outdo
ilicet	straightway
trepidatur (*impers.*)	there is panic
Lares -um *and* -ium *m.*	household Gods
filum -i *n.*	thread
grandaevus -a -um	old
crinis -is *m.*	hair
solutus -a -um	dishevelled, loosened

110

ferme	almost
ubique	everywhere
motus (-us *m.*) terrae	earthquake
prosterno -ere -stravi -stratum	overthrow
prorui -ere -rui -rutum	subvert
inveho -ere -vexi -vectum	carry into

111

desum -esse -fui	be missing
vadum -i *n.*	shallow
no nare	swim
capesso -ere -ivi -itum	attempt
inconsultus -a -um	unreasoning, blind
deficio -ere -feci -fectum	fail, faint
haurio -ire hausi haustum	swallow up
gurges -itis *m.*	whirlpool
nequicquam	in vain
retro	back
aegerrime	with the greatest difficulty
trucido -are	cut down

112

in rem esse	to suit the occasion
oboedio -ire + *dat.*	listen to

113

munimentum -i *n.*	fortification
vicus -i *m.*	district, village
ceterum	however
ut . . . sic . . .	as . . . so, while . . . yet

114

gratulor -ari + *dat.*	congratulate
perfungor -i -functus + *abl.*	achieve, finish
cesso -are	stop, have a rest
immo	nay rather
epulor -ari	feast
animo capio -ere cepi ceptum	comprehend
penso -are	consider, weigh

115

frumentum -i *n.*	corn
viaticum -i *n.*	travelling money
munificentia -ae *f.*	generosity

116

curandus -a -um *from* curo	to be cared for
nummus -i *m.*	coin (about 2½d.)
certatur (*impers.*)	there is rivalry

PART IV

The Honourable Profession of Schoolmaster

1. Cum Cantabridgiae inter magistros aliquot pro-
ponerem de hypodidascalo, quidam, vir non infimae
opinionis, subridens, ' quis ' inquit ' sustineat in ea
schola vitam agere inter pueros, qui possit ubivis
quomodocumque vivere ? ' Respondi modestius hoc
munus mihi videri vel in primis honestum, bonis
moribus ac litteris instituere iuventutem, et in nullum
rectius collocari beneficium, et nusquam exspectari
fructum uberiorem.

Hypodidascalus, assistant master ; *munus*, office, service;
ubivis, wherever he likes ; *instituo*, equip, instruct ; *fructus*, fruit,
reward ; *uber*, rich.

Erasmus. Letters.

Flaminius' Impatience with his Standard-bearer

2. Haec increpans Flaminius cum signa convelli iuberet
et ipse in equum insiluisset, equus repente corruit
consulemque lapsum super caput effudit. Territis
omnibus qui circa erant velut foedo omine insuper
nuntiatur signum, omni vi moliente signifero, convelli
nequire. Conversus ad nuntium ' abi ' inquit,
' nuntia ut effodiant signum, si ad convellendum
manus prae metu obtorpuerit.' Incedere inde agmen
coepit primoribus territis duplici prodigio, milite in
vulgus laeto ferocia ducis, cum spem magis quam
causam spei intueretur.

Nequeo, I cannot ; *molior*, struggle ; *obtorpesco*, grow numb ;
convello, pluck up ; *intueor*, look at.

Livy XXII. 3. 11.

Cicero thinks he will become a School Text-book

3. De Calventi Mari orationc scribis. Miror tibi placere
me ad eam rescribere, praesertim cum illam nemo
lecturus sit si ego nihil rescripsero, meam in illum
pueri omnes tamquam dictata perdiscant.

> *Dictata*, things dictated, an exercise.

Cic. Q. F. 3. 1. 4.

*Marius compares himself with the members of the ruling
nobility*

4. Comparate nunc, Quirites, cum illorum superbia me
hominem novum. Quae illi audire et legere solent,
eorum partem vidi, alia egomet gessi ; quae illi
litteris, ea ego militando didici. Nunc vos existimate
facta an dicta pluris sint. Contemnunt novitatem
meam, ego illorum ignaviam ; mihi fortuna, illis
probra obiectantur. Falsi sunt, qui diversissimas res
pariter expectant, ignaviae voluptatem et praemia
virtutis. Neque litteras Graecas didici ; parum
placebat eas discere, quippe quae ad virtutem
doctoribus nihil profuerant.

> *Pluris*, worth more ; *probum*, reproach, disgrace ; *obiecto*,
> taunt.

Contd.

5. At illa multo optima reipublicae doctus sum —
hostem ferire, praesidia agitare, nihil metuere nisi
turpem famam, hiemem et aestatem juxta pati, humi
requiescere, eodem tempore inopiam et laborem
tolerare. Sordidum me et incultis moribus aiunt,
quia parum scite convivium exorno neque histrionem
ullum neque pluris pretii coquum quam vilicum
habeo. Quae mihi libet confiteri. Nam ex parente
meo et ex aliis sanctis viris ita accepi ; munditias
mulieribus, laborem viris convenire, omnibusque

bonis oportere plus gloriae quam divitiarum esse ;
arma, non supellectilem decori esse.

Praesidium agitare, keep watch ; *sordidus*, low, common ;
scite, elegantly ; *histrio*, actor ; *coquus*, cook ; *vilicus*, steward ;
munditia, elegance ; *supellex*, furniture.

Sall. Jug. 85.

The Golden Age

6. Ceterum felix illud et, ut more nostro loquar, aureum
saeculum, et oratorum et criminum inops, poetis et
vatibus abundabat, qui bene facta canerent, non qui
male admissa defenderent.

Tac. Dial. 12.

The choice of a nurse

7. At nunc natus infans delegatur Graeculae alicui
ancillae, cui adiungitur unus aut alter ex omnibus
servis, plerumque vilissimus nec cuiquam serio
ministerio accommodatus. Horum fabulis et erroribus virides statim et rudes animi imbuuntur ; nec
quisquam in tota domo pensi habet, quid coram
infante domino aut dicat aut faciat. Quin etiam
ipsi parentes non probitati nec modestiae parvulos
assuefaciunt, sed lasciviae et dicacitati, per quae
paulatim impudentia inrepit et sui alienique con-
temptus. Iam vero propria et peculiaria huius urbis
vitia prima ab infantia concipi mihi videntur,
histrionalis favor, et gladiatorum equorumque studia ;
quibus occupatus et obsessus animus quantulum loci
bonis artibus relinquit ?

Pensi habeo, consider of importance ; *lascivia*, wantonness ;
dicacitas, smart talk ; *quin etiam*, nay more ; *inrepo*, creep in ;
histrionalis, favour, i.e., interest in the stage ; *studium*, backing;
quantulum, how little.

Tac. Dial. 29.

The artist's picture of love

8. Quicumque ille fuit, puerum qui pinxit Amorem,
        nonne putas miras hunc habuisse manus ?
    Is primum vidit sine sensu vivere amantes,
        et levibus curis magna perire bona.
    Idem non frustra ventosas addidit alas,
        fecit et humano corde volare deum :
    scilicet alterna quoniam jactamur in unda,
        nostraque non ullis permanet aura locis.

                                    Prop. II. 12.

Only the lover knows death's hour

9. At vos incertam, mortales, funeris horam
        quaeritis, et qua sit mors aditura via :
    solus amans novit, quando periturus et a qua
        morte, neque hic Boreae flabra nec arma timet.
    Iam licet et Stygia sedeat sub arundine remex,
        solvat et infernae tristia vela ratis :
    si modo clamantis revocaverit aura puellae,
        concessum nulla lege redibit iter.

    Flabrum, blast ;   *arundo*, reed ;   *remex*, rower.

                                    Prop. II. 27. 1‑8.

A spoilt peroration

10. Itaque cum callidissime se dicere putaret et cum illa
    verba gravissima ex intimo artificio deprompsisset :
    ' Respicite, iudices, hominum fortunas, respicite
    dubios variosque casus, respicite C. Fabrici senectu-
    tem '—cum hoc ' respicite ' ornandae orationis causa
    saepe dixisset, respexit ipse.   At C. Fabricius a
    subselliis demisso capite discesserat.   Hic iudices
    ridere, stomachari atque acerbe ferre patronus sibi
    cripi causam et se cetera de illo loco ' respicite,
    iudices,' non posse dicere ; nec quicquam promptius
    est factum quam ut illum persequeretur et collo

obtorto ad subsellia reduceret ut reliqua posset perorare.

Artificium, stock (of ingenuity); *subsellium*, bench; *stomachor*, am disgusted; *acerbe fero*, am vexed; *patronus*, advocate; *collo obtorto*, i.e., by the scruff of the neck (*obtorqueo*, twist).

Cic. Clu. 58.

St. Augustine at school

11. Deus, deus meus, quas ibi miserias expertus sum et ludificationes, quandoquidem recte mihi vivere puero id proponebatur, obtemperare monentibus. Inde in scholam datus sum, ut discerem litteras, in quibus quid utilitatis esset ignorabam miser. Et tamen, si segnis in discendo essem, vapulabam. Nam puer coepi rogare te parvus non parvo affectu ne in schola vapularem. Fortasse approbat bonus rerum arbiter me vapulasse, quia ludebam pila puer et eo ludo impediebar, quominus celeriter discerem litteras. Aut aliud faciebat idem ipse, a quo vapulabam, qui si in aliqua quaestiuncula a condoctore suo victus esset, magis invidia torqueretur quam ego, cum in certamine pilae a conlusore meo superabar ?

Experior, experience; *ludificatio*, mockery; *quandoquidem*, since; *segnis*, idle; *vapulo*, am beaten; *affectus*, concern; *pila*, ball; *quaestiuncula*, trivial dispute; *condoctor*, colleague; *torqueo*, torture; *conlusor*, playmate.

St. Aug. Conf. I. 9.

Themistocles's stratagem

12. Themistocles, cum videret utilissimum Graeciae adversus multitudinem Xerxis navium in angustiis Salaminis decernere idque persuadere civibus non posset, sollertia effecit, ut a barbaris ad utilitates suas Graeci compellerentur. Simulata namque proditione misit ad Xerxem nuntium qui indicaret populares suos de fuga cogitare difficilioremque ei rem futuram, si singulas civitates obsidione aggrederetur. Qua ratione effecit ut exercitus barbarorum

primum inquietaretur, dum tota nocte in statione
custodiae est : deinde, ut sui mane integris viribus
cum barbaris vigilia marcentibus confligerent, loco
ut volucrat arto, in quo Xerxes multitudine qua
praestabat uti non posset.

Sollertia, cunning ;   *inquieto*, disquiet ;   *marceo*, am fatigued ;
artus, confined.

Front. II. 2. 14.

From Vergil's description of the games in the Aeneid
Start of the Boat Race

13. Inde ubi clara dedit sonitum tuba, finibus omnes—
haud mora—prosiluere suis : ferit aethera clamor
nauticus, adductis spumant freta versa lacertis.
Infindunt pariter sulcos, totumque dehiscit
convulsum remis rostrisque tridentibus aequor.
Iamque propinquabant scopulo metamque tenebant,
cum princeps medioque Gyas in gurgite victor
rectorem navis compellat voce Menoeten :
' Quo tantum mihi dexter abis ? huc dirige gressum :
litus ama et laevas stringat sine palmula cautes ;
altum alii teneant.'

Dixit, sed cacca Menoetes
saxa timens proram pelagi detorquet ad undas.

Palmula, oar.

Contd.

The Turn

14.   ' Quo diversus abis ? ' iterum ' pete saxa, Menoete.'
cum clamore Gyas revocabat : et ecce Cloanthum
respicit instantem tergo et propiora tenentem.
Tum vero exarsit iuveni dolor ossibus ingens
nec lacrimis caruere genae, segnemque Menoeten
oblitus decorisque sui sociumque salutis
in mare praecipitem puppi deturbat ab alta :
ipse gubernaclo rector subit, ipse magister
hortaturque viros clavumque ad litora torquet.

Clavus, tiller.

Verg. Aen. V. 139.

The finish of the foot race

15.   Iamque fere spatio extremo fessique sub ipsam
finem adventabant, levi cum sanguine Nisus
labitur infelix, caesis ut forte iuvencis
fusus humum viridesque super madefecerat herbas.
Hic iuvenis iam victor ovans vestigia presso
haud tenuit titubata solo, sed pronus in ipso
concidit immundoque fimo sacroque cruore,
non tamen Euryali, non ille oblitus amorum :
nam sese opposuit Salio per lubrica surgens,
ille autem spissa iacuit revolutus harena.
Emicat Euryalus, et munere victor amici
prima tenet, plausuque volat fremituque secundo.

Levis, slippery ;   *titubo*, stumble ;   *fimus*, mire ;   *lubricum*,
slippery place ;   *spissus*, dense.

Verg. Aen. V.

*Murder on the highway (Cicero's account of the incident
related in Part III, No. 64*

16. Cum sciret Clodius—nec enim difficile erat scire—
A.D. XIII. Kal. Feb. iter necessarium Miloni esse
Lanuvium, Roma subito ipse profectus pridie est, ut
Miloni insidias conlocaret. Milo autem cum in senatu
fuisset eo die, quoad senatus est dimissus, domum
venit, calceos et vestimenta mutavit, paulisper, dum
se uxor, ut fit, comparat, commoratus est, dein
profectus id temporis, cum iam Clodius, si quidem eo
die Romam venturus erat, redire potuisset.

Calceus, shoe.

Contd.

17. Obviam fit ei Clodius, expeditus, in equo, nulla
raeda, nullis impedimentis, nullis Graecis comitibus
ut solebat, sine uxore, quod nunquam fere : cum
Milo, qui iter illud ad caedem faciendam apparasset,
cum uxore veheretur in raeda, paenulatus, magno et
impedito et muliebri et delicato comitatu.   Fit
obviam Clodio hora fere undecima.   Statim complures cum telis in hunc faciunt de loco superiore

impetum ; deinde gladiis eductis partim currere ad
raedam, ut e tergo Milonem adorirentur, partim, quod
hunc iam interfectum putarent, caedere incipiunt
eius servos, qui post erant.

Raeda, carriage ;   *vehor*, ride, drive ;   *paenulatus*, wearing an
overcoat ;   *delicatus*, luxurious ;   *post*, behind.

Cic. Mil. 27.

Two stories about Alexander

18. Callanus Indus, cum inscenderet rogum ardentem,
'mortali' inquit 'corpore cremato in lucem animus
excesserit.' Cumque Alexander eum rogaret, si quid
vellet, ut diceret, 'optime' inquit, 'propediem te
videbo.' Quod ita contigit ; nam Babylone paucis
post diebus Alexander est mortuus.

Qua nocte templum Ephesiae Dianae deflagravit,
eadem constat natum esse Alexandrum, atque, ubi
lucere coepisset, clamitasse magos pestem ac perniciem
Asiae proxima nocte natum.

Rogus, funeral pyre ;   *propediem*, very soon ;   *deflagro*, be burnt
down ;   *luceo*, dawn ;   *magus*, magician ;   *pestis*, plague ;   *per-
nicies*, bane, ruin.

Cic. Div. 1. 47.

Verginius Rufus' epitaph

19. Hic situs est Rufus, pulso qui Vindice quondam,
imperium asseruit non sibi, sed patriae.

Assero, assert ;   *Vindex*, the leader of a Gallic rising, put down by
Rufus, who afterwards refused to be nominated emperor.

Verg. Ruf.

No one is exempt from sorrow

20. Mortalis nemo est quem non attingit dolor
morbique multi : sunt humandi liberi,
rursum creandi, mors est finita omnibus.
Quae generi humano angorem nequiquam adferunt :
reddenda terrae est terra, tum vita omnibus
metenda, ut fruges : sic iubet necessitas.

Humo, bury ;   *meto*, reap.

Cic. F. P. R. 313.

The aged Sophocles' sanity vindicated

21. Sophocles ad summam senectutem tragoedias fecit ;
quod propter studium cum rem neglegere familiarem
videretur, filiis in iudicium vocatus est, ut, quem ad
modum nostro more male rem gerentibus patribus
bonis interdici solet, sic illum quasi desipientem a re
familiari removerent iudices.   Tum senex dicitur eam
fabulam quam in manibus habebat et proxime scrip-
serat, Oedipum Coloneum, recitasse iudicibus quae-
sisseque num illud carmen desipientis videretur ;   quo
recitato sententiis iudicum est liberatus.

Interdico, forbid the control of.

Cic. Sen. 22.

Hannibal's Mission

22. Hannibal, cum cepisset Saguntum, visus est in somnis
a Iove in deorum concilium vocari.   Quo cum venisset,
Iovem imperavisse ut Italiae bellum inferret, ducem-
que ei unum e concilio datum, quo illum utentem cum
exercitu progredi coepisse ;   tum ei ducem illum
praecepisse, ne respiceret ;   illum autem id diutius
facere non potuisse elatumque cupiditate respexisse ;
tum visam beluam vastam et immanem circumpli-
catam serpentibus, quacumque incederet, omnia
arbusta, virgulta, tecta pervertere, et eum admiratum
quaesisse de deo quodnam illud esset tale monstrum ;
et deum respondisse vastitatem esse Italiae praecepis-
seque ut pergeret protinus, quid retro et a tergo
fieret ne laboraret.

Praecipio, command ;   *cupiditas*, curiosity ;   *circumplico*, entwine ;
laboro, trouble, worry.

Cic. Div. 1. 49.

The true reward of a full life

23. Quae sunt igitur voluptates corporis cum auctoritatis
praemiis comparandae ?   Quibus qui splendide usi
sunt, ei mihi videntur fabulam aetatis peregisse, nec

tamquam inexercitati histriones in extremo actu
corruisse.

Histrio, actor ; *curruo*, break down.

Cic. Sen. 64.

The shades on the shore of the Styx

24. Huc omnis turba ad ripas effusa ruebat,
matres atque viri defunctaque corpora vita
magnanimum heroum, pueri innuptaeque puellae
impositique rogis iuvenes ante ora parentum :
quam multa in silvis autumni frigore primo
lapsa cadunt folia, aut ad terram gurgite ab alto
quam multae glomerantur aves, ubi frigidus annus
trans pontum fugat et terris immittit apricis.
Stabant orantes primi transmittere cursum
tendebantque manus ripae ulterioris amore :
navita sed tristis nunc hos, nunc accipit illos,
ast alios longe submotos arcet harena.

Defunctus, that has finished ; *labor*, fall ; *folium*, leaf ; *gurges*,
swell ; *apricus*, sunny; *navita*, i.e., Charon.

Verg. Aen. VI. 305.

Aeneas' meeting with Dido in the underworld

25. Inter quas Phoenissa recens a vulnere Dido
errabat silva in magna.   Quam Troius heros
ut primum iuxta stetit agnovitque per umbras
obscuram, qualem primo qui surgere mense
aut videt aut vidisse putat per nubila lunam,
demisit lacrimas dulcique adfatus amore est :
' Infelix Dido, verus mihi nuntius ergo
venerat extinctam ferroque extrema secutam ?
Funeris heu tibi causa fui ?   Per sidera iuro
invitus, regina, tuo de litore cessi.
Siste gradum, teque aspectu ne subtrahe nostro.
Quem fugis ?   Extremum fato quod te adloquor hoc
    est.'

[l. 12] *fato*, i.e., it is fated that.

Verg. Aen. VI. 450.

Cicero's university training

26. Cum venissem Athenas, sex menses cum Antiocho
veteris Academiae nobilissimo et prudentissimo philo-
sopho fui studiumque philosophiae nunquam inter-
missum a primaque adulescentia cultum et semper
auctum hoc summo rursus auctore et doctore renovavi.
Eodem tamen tempore Athenis apud Demetrium
Syrum veterem et non ignobilem dicendi magistrum
studiose exerceri solebam.

Cic. Brut. 315.

Teaching by imitiation

27. Omnis vitae ratio sic constat, ut quae probamus in
aliis facere ipsi velimus. Sic litterarum ductus, ut
scribendi fiat usus, pueri sequuntur, sic musici vocem
docentium, pictores opera priorum, rustici probatam
experimento culturam in exemplum intuentur ; omnis
denique disciplinae initia ad propositum sibi praescriptum formari videmus.

Ductus, outline ;   *praescriptum,* prescribed pattern ;   l. 6,
sibi, i.e., the learner.

Quint. X. 11. 2.

A successful theft

28. SERVUS : Ego sum ille rex Philippus. O lepidum diem !
Nam ut dudum hinc abii, multo illo adveni prior
multoque prius me conlocavi in arborem
indeque exspectabam, aurum ubi abstrudebat
senex.
Ille ubi abiit, ego me deorsum duco de arbore,
ecfodio aulam auri plenam. Inde ex eo loco
video recipere se senem ; ille me non videt,
nam ego declinavi paullulum extra viam.
Attat ! ecce ipsum. ibo ut hoc condam domum.
EUCLIO (the miser who has been robbed):
Perii, interii, occidi. Quo curram ? Quo non

curram ?   Tene,   tene.   Quem ?   Quis ?
Nescio, nil video, caecus eo atque equidem quo
eam aut ubi sim aut qui sim
nequeo cum animo certum investigare.   (*To one
of the audience*) obsecro vos ego, mi auxilio,
oro, obtestor, sitis, et hominem demonstretis,
quis eam abstulerit.
Quid ais tu ?   Tibi credere certum est, nam
esse bonum ex voltu cognosco.

Lepidus, wondrous ;   *dudum*, a short while ago ;   *abstrudo*, hide
deorsum, down;   *aula*, pot ;   *attat*, lo !

Plaut. Aul. 704.

A feat of memory

29. Artem autem memoriae primus ostendisse dicitur
Simonides.   Cuius vulgata fabula est : cum pugili
coronato carmen, quale componi victoribus solet,
mercede pacta scripsisset, abnegatam ei pecuniae
partem, quod more poetis frequentissimo digressus in
laudes Castoris ac Pollucis exierat.   Quapropter
partem ab eis petere, quorum facta celebrasset,
iubebatur.   Et persolverunt, ut traditum est.   Nam
cum esset grande convivium in honorem eiusdem
victoriae atque adhibitus ei cenae Simonides, nuntio
est excitus, quod eum duo iuvenes equis advecti
desiderare maiorem in modum dicebantur.

Pugil, boxer ;   *merces*, reward ;   *pactus*, agreed ;   *convivium*,
banquet ;   *adhibeo*, invite.

Contd.

30. Et illos quidem non invenit, fuisse tamen gratos
erga se deos exitu comperit.   Nam vix eo ultra limen
egresso, triclinium illud supra convivas corruit atque
ita confudit, ut non modo ora oppressorum, sed
membra etiam omnia requirentes ad sepulturam
propinqui nulla nota possent discernere.   Tum

Simonides dicitur memor ordinis, quo quisque dis-
cubuerat, corpora suis reddidisse.

Erga, towards ;   *triclinium*, dining hall ;   *nota*, mark ;   *discumbo*,
recline at table.

Quint. XI. 2. 11.

Scaevola discovers his mistake

31. An vero Scaevola in lusu duodecim scriptorum, cum
prior calculum promovisset essetque victus, dum rus
tendit, repetito totius certaminis ordine, quo dato
errasset recordatus, rediit ad eum quocum luserat,
isque ita factum esse confessus est.

Lusus duodecim scriptorum, a game of draughts ;   *calculus*, man,
piece ;   *datum*, move ;   *recordor*, recall.

Quint. XI. 2. 38.

A gift for languages (compare Charles V.)

32. Ceterum quantum natura studioque valeat memoria,
vel Themistocles testis, quem unum intra annum
optime locutum esse Persice constat ; vel Mithridates,
cui duas et viginti linguas, quot nationibus imperabat,
traditur notas fuisse, vel Crassus ille Dives, qui, cum
Asiae praeesset, quinque Graeci sermonis differentias
sic tenuit ut, qua quisque apud eum lingua postu-
lasset, eadem ius sibi redditum ferret ; vel Cyrus,
quem omnium militum tenuisse creditum est nomina.
Quin semel auditos quamlibet multos versus protinus
dicitur reddidisse Theodectes.   Dicebantur etiam
nunc esse qui facerent, sed mihi nunquam ut ipse
interessem contigit.

Differentia, dialect ;   *ius reddere*, pronounce judgment ;   *quin*,
nay ;   *protinus*, straightway ;   *intersum*, be present.

Quint. XI. 2. 50.

The soldier's death compared with the philosopher's

33. Non ego iam Epaminondae, non Leonidae mortem
hujus morti antepono ; quorum alter cum vicisset
Lacedaemonios apud Mantineam, atque ipse gravi

vulnere exanimari se videret, ut primum dispexit,
quaesivit salvusne esset clipeus.   Cum salvum essc
flentes sui respondissent, rogavit essentne fusi hostes.
Cumque id quoque, ut cupiebat, audivisset, evelli
iussit eam qua erat transfixus hastam.   Ita multo
sanguine profuso in laetitia et in victoria est mortuus.
Leonidas autem, rex Lacedaemoniorum, se in
Thermopylis trecentosque eos, quos eduxerat Sparta,
cum esset proposita aut fuga turpis aut gloriosa mors,
opposuit hostibus.   Praeclarae mortes sunt impera-
toriae.   Philosophi autem in lectulis plerumque
moriuntur.

> *Dispicio*, open the eyes ;   *lectulus*, bed.
>
> Cic. Fin. II. 30. 97.

Horace's Immortality

34.   Exegi monumentum aere perennius
regalique situ pyramidum altius
quod non imber edax, non Aquilo impotens
possit diruere aut innumerabilis
annorum series aut fuga temporum.
Non omnis moriar, multaque pars mei
vitabit Libitinam.

> *Aes*, bronze ;   *Libitina*, Goddess of funerals.
>
> Hor. C. III. 30.

The Restraints of Power

35. Qui demissi in obscuro vitam habent, si quid iracundia
deliquere, pauci sciunt.   Fama atque fortuna eorum
pares sunt.   Qui magno imperio praediti in excelso
aetatem agunt, eorum facta cuncti mortales novere.
Ita in maxima fortuna minima licentia est.

> *Demissus*, lowly ;   *delinquo*, err ;   *par*, equal ;   *praeditus*, invested
> with ;   *licentia*, licence, freedom.
>
> Sall. Cat. 51. 12.

Pliny's description of a statue he bought

36. Ex hereditate, quae mihi obvenit, emi proxime
Corinthium signum modicum quidem, sed festivum
et expressum, quantum ego sapio. Est enim nudum
nec aut vitia, si qua sunt, celat aut laudes parum
ostentat. Effingit senem stantem ; ossa, musculi,
nervi, venae, rugae etiam ut spirantis apparent, rari
capilli, lata frons, contracta facies, exile collum.

Hereditas, legacy ; *emo*, buy ; *festivus*, pleasing ; *expressus*,
finely modelled ; *parum*, too little ; *ruga*, wrinkle ; *exilis*, thin ;
collum, neck.

Plin. Ep. III. 6.

See what you missed

37. Heus tu ! promittis ad cenam, nec venis. Paratae
erant lactucae singulae, cochleae ternae, ova bina,
halica cum mulso et nive (quae quidem periit in
ferculo), olivae, betacei, cucurbitae, bulbi, alia mille
non minus lauta. At tu apud nescio quem ostrea,
vulvas, echinos, maluisti. Dure fecisti. Quantum
nos lusissemus, risissemus ! Potes apparatius cenare
apud multos, nusquam hilarius, simplicius, incautius.
Vale.

Lactuca, lettuce ; *cochlea*, snail ; *halica*, spelt ; *mulsum*, honey
wine ; *ferculum*, dish ; *betaceus*, beetroot ; *cucurbita*, pumpkin ;
bulbus, shallot ; *lautus*, delicious ; *ostrea*, oyster ; *vulvae*, pig's
fry ; *echinus*, sea-urchin ; *apparatus*, luxurious ; *hilaris*, cheerful ;
incautus, unguarded (i.e., free and easy).

Plin. Ep. I. 15.

Cacus steals Hercules's cattle

38. At furis Caci mens effera, ne quid inausum
aut intractatum scelerisve dolive fuisset,
quattuor a stabulis praestanti corpore tauros
avertit, totidem forma superante iuvencas :
atque hos, ne qua forent pedibus vestigia rectis,
cauda in speluncam tractos versisque viarum
indiciis raptos saxo occultabat opaco :
quaerenti nulla ad speluncam signa ferebant.

Interea, cum iam stabulis saturata moveret
Amphitryoniades armenta abitumque pararet,
discessu mugire boves atque omne querelis
impleri nemus et colles clamore relinqui.
Reddidit una boum vocem vastoque sub antro
mugiit et Caci spem custodita fefellit.

Fur, thief ; *stabulum*, stall ; *iuvenca*, heifer ; *cauda*, tail ;
spelunca, cave ; *opacus*, dim, shady ; *mugio*, low.

Verg. Aen. VIII. 205.

Wealth accumulates and men decay

39. Primo imperi, deinde pecuniae cupido crevit ; ea
quasi materies omnium malorum fuere. Namque
avaritia fidem, probitatem ceterasque artes bonas
subvertit ; pro his superbiam, crudelitatem, deos
neglegere, omnia venalia habere edocuit. Ambitio
multos mortales falsos fieri subegit, aliud clausum in
pectore, aliud in lingua promptum habere, amicitias
inimicitiasque non ex re sed ex commodo aestimare
magisque vultum quam ingenium bonum habere.

Venalis, for sale ; *promptus*, ready.

Sall. Cat. 10.

The case against physical exercise

40. Mos antiquis fuit, usque ad meam servatus aetatem,
primis epistulae verbis adicere ' si vales bene est, ego
valeo.' Recte nos dicimus ' si philosopharis, bene
est.' Valere autem hoc demum est. Sine hoc aeger
est animus ; corpus quoque, etiam si magnas habet
vires, non aliter quam furiosi validum est. Ergo
hanc valetudinem praecipue cura, deinde et illam
secundam. Stulta est enim et minime conveniens
litterato viro occupatio exercendi lacertos et dilatandi
cervicem ac latera firmandi.

Furiosus, raging mad ; *hanc valetudinem*, the health of the
mind ; *illam*, of the body ; *lacertus*, arm ; *diluto*, dilate.

Contd.

41. Cum tibi feliciter sagina cesserit et tori creverint,
nec vires unquam opimi bovis nec pondus aequabis.
Adice nunc quod majore corporis sarcina animus
eliditur, et minus agilis est.   Itaque quantum potes
circumscribe corpus tuum et animo locum laxa.
Multa sequuntur incommoda huic deditos curae :
primum exercitationes, quarum labor spiritum ex-
haurit et inhabilem intentioni ac studiis acrioribus
reddit.   Deinde copia ciborum subtilitas impeditur.

Sagina, corpulence ;   *torus*, muscle ;   *opimus*, fat ;   *sarcina*,
burden;   *elido*, crush ;   *inhabilis*, unfit ;   *intentio*, exertion.

Sen. Ep. 15.

The Deaths of Nisus and Euryalus

42.   Volvitur Euryalus leto, pulchrosque per artus
it cruor, inque humeros cervix collapsa recumbit :
purpureus veluti cum flos succisus aratro
languescit moriens, lassove papavera collo
demisere caput, pluvia cum forte gravantur.
At Nisus ruit in medios solumque per omnes
Volcentem petit, in solo Volcente moratur.
Quem circum glomerati hostes hinc comminus atque
        hinc
proturbant.   Instat non setius ac rotat ensem
fulmineum, donec Rutuli clamantis in ore
condidit adverso et moriens animam abstulit hosti.
Tum super exanimum sese proiecit amicum
confossus, placidaque ibi demum morte quievit.
    Fortunati ambo ! si quid mea carmina possunt,
nulla dies umquam memori vos eximet aevo,
dum domus Aeneae Capitoli immobile saxum
accolet imperiumque pater Romanus hebebit.

Non setius, no less ;   *confodio*, stab to death ;   *memor aevum*,
i.e., the memory of after ages ;   *eximo*, take away, remove.

Verg. IX. 433.

Change of scene no cure for care. ' *Sidere mens eadem mutato* '—*the motto of the Sydney University*

43. Hoc tibi soli putas accidisse et admiraris quasi rem novam, quod peregrinatione tam longa et tot locorum varietatibus non discussisti tristitiam gravitatemque mentis ?   Animum debes mutare,* non caelum. Licet vastum traieceris mare, licet, ut ait Vergilius noster, ' terraeque urbesque recedant ' : sequentur te quocumque perveneris vitia.   Hoc idem querenti cuidam Socrates ait ' quid miraris nihil peregrinationes prodesse, cum te circumferas ?   premit te eadem causa quae expulit.'   Quid terrarum iuvare novitas potest ?   Quid cognitio urbium aut locorum ? In irritum cedit ista iactatio.   Quaeris quare te fuga ista non adiuvet ?   Tecum fugis.   Onus animi deponendum est : non ante tibi ullus placebit locus.

Irritus, vain ;   *iactatio*, tossing, restlessness.

* Cf. Caelum non animum mutant qui trans mare currunt (Horace).

Sen. Ep. 15.

A sea voyage in a storm

44. Quid non potest mihi persuaderi, cui persuasum est ut navigarem ?   Solvi mare languido.   Erat sine dubio caelum grave sordidis nubibus, quae fere aut in aquam aut in ventum resoluuntur, sed putavi tam pauca milia a Parthenope tua usque Puteolos surripi posse, quamvis dubio et impendente caelo.   Cum iam eo processerim ut mea nihil interesset utrum irem an redirem, primum aequalitas illa quae me corruperat periit.   Nondum erat tempestas, sed iam inclinatio maris ac subinde crebrior fluctus.   Coepi gubernatorem rogare ut me in aliquo litore exponeret. Aiebat ille aspera esse et importuosa nec quicquam se aeque in tempestate timere quam terram.   Peius autem vexabar quam ut mihi periculum succurreret.

Institi itaque gubernatori, et illum, vellet nollet,
coegi peteret litus.

Solvo, weigh anchor, sail ; *Parthenope*, Naples (so called after
one of the Sirens whose body was washed up there) ; *surripio*,
lit. snatch, i.e., just manage ; *aequalitas*, calmness ; *corrumpo*,
delude ; *subinde*, presently ; *importuosus*, harbourless ; *succurro*,
occur ; *insto*, press upon, urge ; *gubernator*, pilot ; *vellet nollet*,
whether he would or no, willy-nilly.

Sen. Ep. 53.

Noise no hindrance to study

45. Peream si est tam necessarium quam videtur silentium
in studia seposito. Ecce undique me varius clamor
circumsonat ; supra ipsum balneum habito. Propone
nunc tibi omnia genera vocum quae in odium possunt
aures adducere. Cum fortiores exercentur et manus
plumbo graves iactant, cum aut laborant aut laboran-
tem imitantur, gemitus audio, quotiens retentum
spiritum remiserunt, sibilos et acerbissimas respira-
tiones. Adice nunc furem deprensum et illum cui
vox sua in balineo placet, adice nunc eos qui in
piscinam cum ingenti impulsae aquae sono saliunt.
' O te ' inquis ' ferreum aut surdum, cui mens inter
tot clamores tam varios, tam dissonos constat, cum
Chrysippum nostrum assidua salutatio perducat ad
mortem.' At mehercules ego istum fremitum non
magis curo quam fluctum aut deiectum aquae,
quamvis audiam cuidam genti hanc unam fuisse
causam urbem suam transferendi, quod fragorem
Nili cadentis ferre non potuit.

Sepositus, retired ; *balneum* and *balineum*, bath ; *odium*, disgust ;
plumbum, leaden ball ; *spiritus*, breath ; *remitto*, release ; *sibilus*,
hiss ; *fur*, thief ; *piscina*, bathing pool ; *surdus*, deaf ; *consto*,
remain constant ; *fremitus*, din ; *deiectus*, tossing ; *fragor*, noise.

Sen. Ep. 56.

Virtue and Vice : wealth the source of all evil

46.   Virtutem incolumem odimus,
        sublatam ex oculis quaerimus invidi.

Quid tristes querimoniae,
    si non supplicio culpa reciditur ?
Quid leges sine moribus
    vanae proficiunt, si neque fervidis
pars inclusa caloribus
    mundi nec Boreae finitimum latus
durataeque solo nives
    mercatorem abigunt, horrida callidi
vincunt aequora navitae,
    magnum pauperies opprobium iubet
quidvis et facere et pati
    virtutisque viam deserit arduae ?
Vel nos in Capitolium,
    quo clamor vocat et turba faventium,
vel nos in mare proximum
    gemmas et lapides aurum et inutile,
summi materiem mali,
    mittamus, scelerum si bene paenitet.
Eradenda cupidinis
    pravi sunt elementa et tenerae nimis
mentes asperioribus
    formandae studiis.

Querimonia, complaint ;   *recido*, cut back, curb ;   *supplicium*,
punishment ;   *calor*, heat ;   *solum*, ground ;   *callidus*, cunning ;
navita, sailor ;   *favens*, partisan ;   *erado*, root out ;   *pravus*, depraved.

Hor. C. III. 24.

The teaching of Pythagoras

47. Vir fuit hic Samius qui, quid natura, docebat
    quid deus, unde nives, quae fulminis esset origo,
    Iuppiter an venti discussa nube tonarent,
    quid quaterent terras, qua sidera lege mearent,
    et quodcumque latet.   Primusque animalia mensis
    arcuit imponi, primus quoque talibus ora
    docta quidem solvit, sed non et credita, verbis.

' Parcite, mortales, dapibus temerare nefandis
corpora ; sunt fruges, sunt deducentia ramos
pondere poma suo tumidaeque in vitibus uvae.'

Samius, Pythagoras ;   *natura sc.* sit ;   *fulmen*, lightning ;   *meo*,
move ;   *arceo*, forbid ;   *temero*, defile ;   *vitis*, vine ;   *uva*, grape.

Ov. Met. XV. 60.

Valerius and the crow

48. Cum   in   stationibus   quieti   tempus   tererent,
Gallus processit magnitudine atque armis insignis ;
quatiensque scutum hasta cum silentium fecisset,
provocat per interpretem unum ex Romanis qui
secum ferro decernat. M. erat Valerius tribunus
militum adulescens, qui prius sciscitatus consulis
voluntatem in medium armatus processit. Minus
insigne certamen humanum numine interposito
deorum factum ; namque conserenti iam manum
Romano corvus repente in galea consedit, in hostem
versus.

Sciscitor, enquire ;   *consero manum*, engage ;   *corvus*, crow
galea, helmet.

Contd.

49. Quod primo ut augurium caelo missum laetus accepit
tribunus, precatus deinde ut, si divus esset qui sibi
volucrem misisset, volens propitius adesset. Dictu
mirabile, tenuit non solum ales captam semel sedem,
sed quotienscumque certamen initum est, levans se
alis os oculosque hostis rostro et unguibus appetit,
donec territum prodigii talis visu oculisque simul ac
mente turbatum Valerius obtruncat ; corvus ex
conspectu elatus orientem petit.

Unguis, talon ;   *oriens*, East.

Livy VII. 26. 1–5.

Character of M. Valerius Corvinus

50. Non alias militi familiarior dux fuit omnia inter
infimos militum haud gravate munia obeundo. In

ludo praeterca militari, cum velocitatis viriumque
inter se aequales certamina ineunt, comiter facilis ;
vincere ac vinci vultu eodem, nec quemquam aspern-
ari parem qui se offerret ; factis benignus pro re,
dictis haud minus libertatis alienae quam suae
dignitatis memor ; et, quo nihil popularius est,
quibus artibus petierat magistratus, iisdem gerebat.
Itaque universus exercitus incredibili alacritate
adhortationem prosecutus ducis castris egreditur.

Munia, duties ; *obeo*, discharge ; *comiter*, courteously ; *facilis*,
obliging ; *pro re*, according to the circumstances.

Livy VII. 33. 1–4.

A feat of detection

51. Cum primores civitatis similibus morbis eodem ferme
omnes eventu morerentur, ancilla quaedam ad Q.
Fabium Maximum indicaturam se causam publicae
pestis professa est, si ab eo sibi fides data esset haud
futurum noxae indicium. Fabius confestim rem ad
consules, consules ad senatum referunt, consensuque
ordinis fides indici data. Tum patefactum muliebri
fraude civitatem premi matronasque ea venena
coquere, et si sequi extemplo velint, manifesto
deprehendi posse. Secuti indicem et coquentes
quasdam medicamenta et recondita alia invenerunt.

Ancilla, maidservant ; *noxa*, harm ; *indicium*, information ;
index, informer ; *venenum*, poison ; *coquo*, concoct ; *reconditus*,
secret.

Contd.

52. Quibus in forum delatis et ad viginti matronis, apud
quas deprehensa erant, per lictorem accitis, duae ex
eis, Cornelia ac Sergia, patriciae utraque gentis, cum
ea medicamenta salubria esse contenderent, ab
confutante indice bibere iussae, ut se falsum com-
mentam in conspectu omnium arguerent, spatio ad
conloquendum sumpto, cum submoto populo rem ad

ceteras rettulissent, haud abnuentibus et illis bibere,
epoto medicamento suamet ipsae fraude interierunt.

Accio, summon ; *confuto*, refute ; *arguo*, prove ; *comminiscor*,
devise ; *submoveo*, clear away.   l. 5, *se*, i.e., the informer ;
ceteras, i.e., the culprits.

Livy VIII. 18. 4–9.

Pallas' fight with Turnus

53.   Tum genitor natum dictis affatur amicis :
' Stat sua cuique dies, breve et irreparabile tempus
omnibus est vitae : sed famam extendere factis,
hoc virtutis opus.   Troiae sub moenibus altis
tot nati cecidere deum : quin occidit una
Sarpedon, mea progenies.   etiam sua Turnum
fata vocant, metasque dati pervenit ad aevi.'

Progenies, offspring ;   *meta*, goal.

Contd.

54.   At Pallas magnis emittit viribus hastam,
vaginaque cava fulgentem deripit ensem.
illa volans humeri surgunt qua tegmina summa
incidit atque viam clipei molita per oras
tandem etiam magno strinxit de corpore Turni.
Hic Turnus ferro praefixum robur acuto
in Pallanta diu librans iacit atque ita fatur :
' Aspice, num mage sit nostrum penetrabile telum.'
Dixerat ; at clipeum, tot ferri terga, tot aeris,
vibranti cuspis medium transverberat ictu
loricaeque moras et pectus perforat ingens.
Ille rapit calidum frustra de corpore telum :
una eademque via sanguis animusque sequuntur.

Vagina, sheath ;   *molior*, hold on its way ;   *robur*, oaken shaft ;
tergum, back, coil (as of hide) ;   *lorica*, breastplate ;   *mora*, barrier,
defence.

Verg. Aen. X. 466.

The character of Papirius Cursor

55. Vis erat in eo viro imperii ingens pariter in socios
civesque.   Praenestinus praetor per timorem segnius

ex subsidiis suos duxerat in primam aciem ; quem
cum inambulans ante tabernaculum vocari iussisset,
lictorem expedire securem iussit, ad quam vocem
exanimi stante Praenestino : ' Agedum, lictor, excide
radicem hanc ' inquit ' incommodam ambulantibus,'
perfusumque ultimi supplicii metu multa dicta
dimisit. Haud dubie illa aetate, qua nulla virtutum
feracior fuit, nemo unus erat vir quo magis innixa
res Romana staret. Quin eum parem destinant
animis magno Alexandro ducem, si arma Asia perdo-
mita in Europam vertisset.

Segnis, dilatory ; *securis*, axe ; *exanimis*, half dead ; *agedum*,
come ! ; *radix*, stump ; *supplicium*, punishment ; *multa*, fine ;
ferax, fruitful ; *innitor*, rest on ; *par*, match ; *destino*, fix upon.

Livy IX. 16. 16–19.

A severe Winter

56. Insignis annus hieme gelida ac nivosa fuit, adeo ut
viae clausae, Tiberis innavigabilis fuerit. Annona ex
ante convecta copia nihil mutavit . . . Tristem
hiemem, sive ex intemperie caeli raptim mutatione in
contrarium facta, sive alia qua de causa gravis
pestilensque omnibus animalibus aestas excepit.

Gelidus, very cold ; *nivosus*, snowy ; *annona*, price of corn ;
intemperies, inclemency ; *excipio*, succeed, follow.

Livy V. 13. 1 and 4.

The Caudine Forks

57. Ne Samnitibus quidem consilium in tam laetis rebus
suppetebat ; itaque universi Herennium Pontum,
patrem imperatoris, per litteras consulendum censent.
Iam is gravis annis non militaribus solum sed civilibus
quoque abscesserat muneribus ; in corpore tamen
adfecto vigebat vis animi consiliique. Is ubi accepit
ad furculas Caudinas inter duos saltus clausos esse
exercitus Romanos, consultus ab nuntio filii censuit
omnes inde quam primum inviolatos dimittendos.

o 2

Quae ubi spreta sententia est iterumque eodem remeante nuntio consulebatur, censuit ad unum esse omnes interficiendos.

Suppeto, be forthcoming ; *furculae*, narrow passage, forks *censeo*, recommend ; *remeo*, return.

Contd.

58. Quae ubi tam discordia inter se velut ex ancipiti oraculo responsa data sunt, quamquam filius ipse in primis iam animum quoque patris consenuisse in adfecto corpore rebatur, tamen consensu omnium victus est ut ipsum in consilium acciret. Nec gravatus senex plaustro in castra dicitur advectus vocatusque in consilium ita ferme locutus esse ut nihil sententiae suae mutaret, causas tantum adiceret ; priore se consilio, quod optimum duceret, cum potentissimo populo per ingens beneficium perpetuam firmare pacem amicitiamque ; altero consilio in multas aetates, quibus amissis duobus exercitibus haud facile receptura vires Romana res esset, bellum differre ; tertium nullum consilium esse.

Anceps, doubtful, ambiguous ;   *consenesco*, become enfeebled ; *reor*, think ; *vinco*, prevail upon ;   *accio*, summon ; *gravor*, object ; *plaustrum*, cart ;   *adicio*, add ;   *duco*, deem ;   *recipio*, recover ; *differo*, postpone.

Livy IX. 3. 4–10.

Horace prefers Tibur to all the cities of Greece

59. Laudabunt alii claram Rhodon aut Mytilenen
       aut Epheson bimarisve Corinthi
   moenia vel Baccho Thebas vel Apolline Delphos
       insignes aut Thessala Tempe :
   sunt quibus unum opus est intactae Palladis urbem
       carmine perpetuo celebrare et
   undique decerptam fronti praeponere olivam :
       plurimus in Iunonis honorem
   aptum dicet equis Argos ditesque Mycenas :
       me nec tam patiens Lacedaemon

nec tam Larisae percussit campus opimae,
quam domus Albuneae resonantis
et praeceps Anio ac Tiburni lucus et uda
mobilibus pomaria rivis.

Intacta, untouched, virgin ; *decerpo*, pluck ; *aptus*, decked ;
lucus, grove ; *pomarium*, orchard.

Horace C. I. 7. 1–14.

Cicero asks a friend to write the history of the Catilinarian conspiracy

60. Coram me tecum eadem haec agere saepe conantem
deterruit pudor quidam paene subrusticus ; quae
nunc expromam absens audacius ; epistula enim non
erubescit. Ardeo cupiditate incredibili, neque, ut
opinor, reprehendenda, nomen ut nostrum scriptis
illustretur et celebretur tuis. Neque tamen ignoro
quam impudenter faciam qui primum tibi tantum
oneris imponam, deinde etiam ut ornes mea postulem.
Sed tamen, qui semel verecundiae fines transierit, eum
oportet esse impudentissimum. Itaque te plane etiam
atque etiam rogo ut et ornes ea vehementius etiam
quam fortasse sentis. A principio enim coniurationis
usque ad reditum nostrum videtur mihi modicum
quoddam corpus confici posse. Et multorum in nos
perfidiam, insidias, proditionem notabis. Multam
etiam casus nostri tibi varietatem in scribendo
suppeditabunt, quae vehementer animos hominum in
legendo te scriptore tenere possit. Nihil est enim
aptius ad delectationem lectoris quam temporum
varietates fortunaeque vicissitudines.

Subrusticus, countrified ; *verecundia*, modesty ; *corpus*, body (of
material), treatise ; *suppedito*, supply.

Cic. Fam. V. 12.

Town and Country Life

61. Rure ego viventem, tu dicis in urbe beatum ;
cui placet alterius, sua nimirum est odio sors.

Stultus uterque locum inmeritum causatur inique :
in culpa est animus, qui se non effugit unquam.
Tu mediastinus tacita prece rura petebas,
nunc urbem et ludos et balnea vilicus optas ;
me constare mihi scis et discedere tristem,
quandocumque trahunt invisa negotia Romam.
Non eadem miramur ; eo disconvenit inter
meque et te : nam quae deserta et inhospita tesqua
credis, amoena vocat qui mecum sentit, et odit
quae tu pulchra putas.

Nimirum, assuredly ; *odio sum,* am hated ; *causor,* discuss,
speak of ; *inique,* unfairly ; *mediastinus,* drudge ; *balneum,* bath ;
vilicus, steward ; *eo disconvenit,* therein lies the difference ; *tesqua,*
wastes.

Hor. Ep. I. 14. 10–21.

Soracte

62.   Vides ut alta stet nive candidum
       Soracte, nec iam sustineant onus
          silvae laborantes, geluque
             flumina constiterint acuto ?
       Dissolve frigus, ligna super foco
       large reponens atque benignius
          deprome quadrimum Sabina,
             o Thaliarche, merum diota.
       Quid sit futurum cras fuge quaerere et
       quem fors dierum cumque dabit, lucro
          appone.

Focus, hearth ; *quadrimus,* four years old ; *merum,* (undiluted)
wine ; *diota,* cask ; *lucro appono,* count as so much gained.

Hor. C. I. 9. 1–10.

Education among the Falisci

63. Mos erat Faliscis eodem magistro liberorum et comite
uti, simulque plures pueri, quod hodie quoque in
Graecia manet, unius curae demandabantur.   Principum liberos, sicut fere fit, qui scientia videbatur
praecellere, erudiebat.   Is cum in pace instituisset

pueros ante urbem lusus exercendique causa perducere,
nihil eo more per belli tempus intermisso, modo
brevioribus modo longioribus spatiis trahendo eos a
porta, lusu sermonibusque variatis longius solito, ubi
res dedit, progressus inter stationes eos hostium
castraque inde Romana in praetorium ad Camillum
perduxit. Ibi scelesto facinori scelestiorem sermonem
addit, Falerios se in manus Romanis tradidisse,
quando eos pueros quorum parentes capita ibi rerum
sint in potestatem dediderit. Quae ubi Camillus
audivit denudatum eum manibus post tergum
illigatis reducendum Falerios pueris tradidit virgasque
eis, quibus proditorem agerent in urbem verberantes,
dedit.

Demando, entrust ;   *erudio*, educate ;   *scelestus*, abominable ;
quando, since ;   *caput*, head, leading man ;   *verbero*, flog.

Livy V. 27. 1–9.

Titus Manlius offers to fight the giant Gaul

64. Diu inter primores iuvenum Romanorum silentium
fuit, cum et abnuere certamen vererentur et prae-
cipuam sortem periculi petere nollent ; tum T.
Manlius, Lucii filius, ex statione ad dictatorem
pergit. ' Iniussu tuo ' inquit ' imperator, extra ordinem
nunquam pugnaverim, non si certam victoriam
videam : si tu permittis volo ego illi beluae ostendere,
quando adeo ferox praesultat hostium signis, me ex
ea familia ortum quae Gallorum agmen ex rupe
Tarpeia deiecit.'

Praesulto, flaunt oneself ;   *quando*, since.

Livy VII. 10. 1–3.

David and Goliath

65. Armant inde iuvenem aequales ; pedestre scutum
capit, Hispano cingitur gladio ad propiorem habili
pugnam ; armatum adornatumque adversus Gallum

stolide laetum et—quoniam id quoque memoria
dignum antiquis visum est—linguam etiam ab irrisu
exserentem producunt. Recipiunt inde se ad sta-
tionem, et duo in medio armati spectaculi magis more
quam lege belli destituuntur, nequaquam visu ac
specie aestimantibus pares. Corpus alteri magnitudine eximium, versicolori veste pictisque et auro
caelatis refulgens armis : media in altero militaris
statura modicaque in armis habilibus magis quam
decoris species. Non cantus, non exsultatio armorum-
que agitatio vana, sed pectus animorum iraeque
tacitae plenum ; omnem ferociam in discrimen ipsum
certaminis distulerat.

Habilis, suitable ; *stolide*, stupidly ; *exsero*, put out ; *magis
more*, more in the manner of ; *caelo*, engrave ; *decorus*, decorative.

Contd.

66. Ubi constitere inter duas acies, tot circa mortalium
animis spe metuque pendentibus, Gallus velut moles
superne imminens proiecto laeva scuto in advenientis
arma hostis vanum caesim cum ingenti sonitu ensem
deiecit ; Romanus mucrone subrecto, cum scuto
scutum imum perculisset totoque corpore interior
periculo vulneris factus insinuasset se inter corpus
armaque, uno alteroque subinde ictu ventrem atque
inguina hausit et in spatium ingens ruentem porrexit
hostem.

Pendeo, hang, be on tenter-hooks ; *moles*, huge, mass ; *superne*,
above ; *caesim*, with a slashing stroke ; *mucro*, sword point ;
percello, strike up ; *venter*, belly ; *inguina*, groin.

Livy VII. 10. 5–10.

Trapped in a cave

67. Tamen ne prorsus imbellem agerent annum, parva
expeditio in Umbriam facta est, quod nuntiabatur ex
spelunca quadam excursiones armatorum in agros
fieri. In eam speluncam penetratum cum signis est,

et ex eo loco obscuro multa vulnera accepta maxime-
que lapidum ictu, donec altero specus eius ore—nam
pervius erat—invento utraeque fauces congestis lignis
accensae. Ita intus fumo ac vapore ad duo milia
armatorum, ruentia novissime in ipsas flammas, dum
evadere tendunt, absumpta.

Intus, within ;   *novissime*, finally.

Livy X. 1. 4–6.

Strike of the flute-players

68. Eiusdem anni rem dictu parvam praeterirem, nisi ad
religionem visa esset pertinere. Tibicines, quia
prohibiti a censoribus erant in aede Iovis vesci, quod
traditum antiquitus erat, aegre passi Tibur uno
agmine abierunt, adeo ut nemo in urbe esset qui
sacrificiis praecineret. Eius rei religio tenuit senatum,
legatosque Tibur miserunt qui darent operam ut ii
homines Romanis restituerentur. Tiburtini benigne
polliciti primum accitos eos in curiam hortati sunt ut
reverterentur Romam ; postquam perpelli nequibant,
consilio haud abhorrente ab ingeniis hominum eos
aggrediuntur.

Tibicen, flute-player ;   *vescor*, feed ;   *antiquitus*, from ancient
days ;   *praecino*, play before ;   *do operam*, take measures, take care ;
revertor, return ;   *abhorrens*, repugnant.

Contd.

They are brought back to Rome by a trick

69. Die festo alii alios per speciem celebrandarum cantu
epularum invitant et vino cuius avidum ferme id
genus est, oneratos sopiunt atque ita in plaustra
somno vinctos coniciunt ac Romam deportant. Nec
prius sensere quam plaustris in foro relictis plenos
crapulae eos lux oppressit. Tunc concursus populi
factus, impetratoque ut manerent, datum ut triduum
quotannis ornati cum cantu atque hac, quae nunc

sollemnis est, licentia per urbem vagarentur restitu-
tumque in aede vescendi ius iis qui sacris praecinerent.

Sopio, make drunk ; *plaustrum*, waggon ; *crapula*, intoxication ;
sollemnis, customary ; *vagor*, roam ; *sacrum*, sacrifice.

Livy IX. 30. 5. 10.

If Winter comes can Spring be far behind ?

70. Diffugere nives, redeunt iam gramina campis
        arboribusque comae ;
  mutat terra vices, et decrescentia ripas
        flumina praetereunt.
  Gratia cum Nymphis geminisque sororibus audet
        ducere nuda choros.
  immortalia ne speres, monet annus et almum
        quae rapit hora diem :
  frigora mitescunt Zephyris, ver proterit aestas
        interitura simul
  pomifer Autumnus fruges effuderit, et mox
        bruma recurrit iners.

Almus, kindly ; *protero*, tread on the heels of ; *bruma*, Winter.

Hor. C. IV. 7.

M. Fabius alone has courage to enter the Ciminian wood
(the site of the disaster of the Caudine Forks)

71. Silva erat Ciminia magis tum invia atque horrenda
quam nuper fuere Germanici saltus, nulli ad eam diem
ne mercatori quidem adita. Eam intrare haud fere
quisquam praeter ducem ipsum audebat ; aliis
omnibus cladis Caudinae nondum memoria abo-
leverat. Tum ex iis qui aderant consulis frater, M.
Fabius, speculatum se iturum professus brevique
omnia certa allaturum. Caere educatus apud hospites,
Etruscis inde litteris eruditus erat linguamque
Etruscam probe noverat. Habeo auctores vulgo tum
Romanos pueros, sicut nunc Graecis, ita Etruscis

litteris erudiri solitos; sed propius est vero praecipuum aliquid fuisse in eo qui se tam audaci simulatione hostibus immiscuerit.

Abolesco, die out; *speculor*, reconnoitre; *erudio*, train; *praecipuus*, exceptional; *simulatio*, pretence.

Contd.

Disguised as a native shepherd he makes his way into Umbria

72. Servus ei dicitur comes unus fuisse, nutritus una eoque haud ignarus linguae eiusdem; nec quicquam aliud profiscentes quam summatim regionis quae intranda erat naturam ac nomina principum in populis accepere, ne qua inter colloquia insigni nota haesitantes deprendi possent. Iere pastorali habitu, agrestibus telis, falcibus gaesisque binis armati. Sed neque commercium linguae nec vestis armorumve habitus sic eos texit quam quod abhorrebat ab fide quemquam externum Ciminios saltus intraturum. Usque ad Camertes Umbros penetrasse dicuntur. Ibi qui essent fateri Romanum ausum; introductumque in senatum consulis verbis egisse de societate amicitiaque atque inde comi hospitio acceptum nuntiare Romanis iussum commeatum exercitui dierum triginta praesto fore, si ea loca intrasset, iuventutemque Camertium Umbrorum in armis paratam imperio futuram.

Haesito, hesitate; *deprendo*, detect; *falx*, sickle; *gaesum*, javelin; *abhorreo*, be repugnant; *fides*, belief; *comis*, courteous; *praesto*, forthcoming.

Livy IX. 36. 1–8.

To Lesbia

73.
Ille mi par esse deo videtur,
ille, si fas est, superare divos,
qui sedens adversus identidem te
spectat et audit

dulce ridentem, misero quod omnes
eripit sensus mihi : nam simul te,
Lesbia, aspexi, nihil est super mi,
    Lesbia, vocis.
Lingua sed torpet, tenuis sub artus
flamma demanat, sonitu suopte
tintinant aures, gemina teguntur
    lumina nocte.

   Identidem, often ; *torpeo*, be sluggish, tied ; *demano*, steal ;
tintino, tingle.

                             Cat. 51.

Brutus and Cicero fail to agree : chacun à son gout

74. Quod errare me putas, qui rem publicam putem
pendere e Bruto, sic se res habet. Aut nulla erit aut
ab illo istisve servabitur. Quod me hortaris, ut
scriptam contionem mittam, accipe a me rem satis
mihi compertam : nemo umquam neque poeta neque
orator fuit, qui quemquam meliorem quam se
arbitraretur. Hoc etiam malis contingit ; quid tu
Bruto putas et ingenioso et erudito ? De quo etiam
experti sumus nuper in edicto. Scripseram rogatu
tuo. Meum mihi placebat, illi suum. Quin etiam
cum ipsius precibus paene adductus scripsissem ad
eum ' de optimo genere dicendi,' non modo mihi sed
etiam tibi scripsit sibi illud quod mihi placeret non
probari. Quare sine, quaeso, sibi quemque scribere.
Atque utinam liceat isti contionari ! Cui si esse in
urbe tuto licebit, vicimus. Ducem enim novi belli
civilis aut nemo sequetur, aut ii sequentur qui facile
vincantur.

   Quod, l. 1, ' As for the fact that . . . ' ; l. 7, *quid tu Bruto
putas* . . ., understand ' *contingere*,' what do you think happens
in the case of . . .

                        Cic. Att. XIV. 20.

Hannibal prepares a trap for Minucius

75. Tumulus erat inter castra Minuci et Poenorum. Eum
non tam capere sine certamine volebat Hannibal

quam causam certaminis cum Minucio contrahere.
Ager omnis medius erat prima specie inutilis insidia-
tori (quia non modo silvestre quicquam, sed ne
vepribus quidem vestitum habebat), re ipsa natus
tegendis insidiis, eo magis quod in nuda valle nulla
talis fraus timeri poterat ; et erant in infractibus
cavae rupes. In has latebras quinque milia conduntur
peditum equitumque. Missis paucis prima luce ad
capiendum quem ante diximus tumulum avertit
oculos hostium.

Silvestris, wooded ;   *vepres*, brushwood ;   *anfractus*, winding ;
latebrae, cover.
                                                Livy XXII. 28. 3–8.

A letter of sympathy

76. Non minus nostra sunt, quae animo complectimur,
quam quae oculis intuemur. Quam ob rem et fili
eximia virtus summusque in te amor magnae tibi
consolationi debet esse, et nos ceterique, qui te non
ex fortuna, sed ex virtute tua pendimus semperque
pendemus, et maxime animi tui conscientia, cum tibi
nihil merito accidisse reputabis, et illud adiunges,
homines sapientes turpitudine, non casu, et delicto
suo, non aliorum iniuria commoveri.

Pendo, value ;   *delictum*, misdeed.
                                                Cic. Fam. V. 17.

True blessedness

77.   Non possidentem multa vocaveris
       recte beatum : rectius occupat
          nomen beati, qui deorum
             muneribus sapienter uti
       duramque callet pauperiem pati
       peiusque leto flagitium timet,
          non ille pro caris amicis
             aut patria timidus perire.

Calleo, know by hard experience.
                                                Hor. C. IV. 9. 45–52.

The happy man

78.   Beatus ille, qui procul negotiis,
       ut prisca gens mortalium,
     paterna rura bubus exercet suis,
       solutus omni faenore,
     neque excitatur classico miles truci,
       neque horret iratum mare,
     forumque vitat et superba civium
       potentiorum limina.
     Libet iacere modo sub antiqua ilice,
       modo in tenaci gramine :
     labuntur altis interim rivis aquae,
       queruntur in silvis aves,
     fontesque lymphis obstrepunt manantibus,
       somnos quod invitet leves.

Faenus, money-making ; *classicum*, trumpet ; *trux*, fierce; *tenax*, clinging ; *lympha*, running waters.

Hor. Ep. II.

On the political situation

79. Etsi, cum haec ad te scribebam, appropinquare exitus huius calamitosissimi belli videbatur, tamen quotidie commemorabam te unum in tanto exercitu mihi fuisse assensorem et me tibi, solosque nos vidisse quantum esset in eo bello mali, in quo, spe pacis exclusa, ipsa victoria futura esset acerbissima, quae aut interitum allatura esset, si victus esses, aut, si vicisses, servitutem. Timebam enim ne evenirent ea quae acciderunt ; nunc nihil timeo et ad omnem eventum paratus sum. Cum aliquid videbatur caveri posse, tum id neglegi dolebam ; nunc vero, eversis omnibus rebus, cum consilio profici nihil possit, una ratio videtur, quidquid evenerit, ferre moderate, praesertim cum omnium

rerum mors sit extremum, et mihi sim conscius me,
quoad licuerit, dignitati rei publicae consuluisse.

Commemoro, recall; *assensor*, one in agreement; *interitus*,
ruin; *caveo*, guard against; *proficio*, do some good; *ratio*, reason-
able course; *quoad*, as far as.

Cic. Fam. VI. 21.

A philosopher can endure even tyranny

80. Fortunam existimo levem et imbecillam ab animo
firmo et gravi tamquam fluctum a saxo frangi oportere.
Etenim cum plena sint monumenta Graecorum,
quemadmodum sapientissimi viri regna tulerint vel
Athenis vel Syracusis, cum, servientibus suis civitatibus, fuerint ipsi quodam modo liberi, ego me non
putem tueri meum statum sic posse ut neque offendam
animum cuiusquam nec frangam dignitatem meam ?

Imbecillus, feeble, unsteady; *quemadmodum*, how; *regnum*,
tyranny; *servio*, be in slavery; *tueor*, preserve.

Cic. Fam. IX. 16. 6.

Cicero's comments on Caesar's dictatorship

81. Si me amas, tu fac ut sciam quid de nobis futurum
sit; habuisti enim in tua potestate, ex quo vel ex
sobrio, vel certe ex ebrio scire posses. Ego ista non
quaero; primum quia de lucro prope iam quad-
riennium vivimus; si aut hoc lucrum est, aut haec
vita, superstitem rei publicae vivere; deinde quod
scire quoque mihi videor quid futurum sit. Fiet
enim quodcumque volent, qui valebunt; valebunt
autem semper arma.

Sobrius, sober; *ebrius*, intoxicated; *lucrum*, gain; *de lucro* . . .,
it is clear gain that . . .; *superstes*, surviving; l. 2, *ex quo*, i.e.,
from Caesar's private secretary.

Cic. Fam. IX. 17. 1.

Wanted—a good boys' school

82. Adhuc filium tuum pueritiae ratio intra contubernium
tuum tenuit, praeceptores domi habuit, ubi est

erroribus vel modica vel etiam nulla materia. Iam
studia eius extra limen proferenda sunt, iam cir-
cumspiciendus rhetor Latinus, cuius scholae severitas,
pudor, in primis castitas constet. Adest enim adulescenti nostro (cum ceteris naturae fortunaeque dotibus)
eximia corporis pulchritudo, cui in hoc lubrico aetatis
non praeceptor modo, sed custos etiam rectorque
quaerendus est.

Contubernium, family home ; *circumspicio*, look round for ;
consto, be established ; *dos*, endowment ; *lubricus*, slippery,
dangerous.

Contd.

Pliny's recommendation

83. Videor ergo demonstrare tibi posse Iulium Genitorem.
Nihil ex hoc viro filius tuus audiet nisi profuturum,
nihil discet, quod nescisse rectius fuerit, nec minus
saepe ab illo quam a te meque admonebitur, quae
nomina et quanta sustineat. Proinde trade eum
praeceptori, a quo mores primum, mox eloquentiam
discat, quae male sine moribus discitur. Vale.

Videor demonstrare posse, ' I think I can recommend ' ; *sustineo*,
uphold ; *proinde*, so then.

Pliny III. 3.

*Horace's journey to Brundisium ; the first stage by canal
barge*

84.   Iam nox inducere terris
umbras et caelo diffundere signa parabat ;
tum pueri nautis, pueris convicia nautae
ingerere ; ' huc appelle.' ' Trecentos inseris ' ; ' ohe,
iam satis est.' Dum aes exigitur, dum mula ligatur,
tota abit hora. Mali culices ranaeque palustres
avertunt somnos, absentem ut cantat amicam
multa prolutus vappa nauta atque viator
certatim : tandem fessus dormire viator
incipit, ac missae pastum retinacula mulae
nauta piger saxo religat stertitque supinus.

Iamque dies aderat, nil cum procedere lintrem
sentimus ; donec cerebrosus prosilit unus
ac mulae nautaeque caput lumbosque saligno
fuste dolat. Quarta vix demum exponimur hora.

Convicium, abuse ; *insero*, put on board ; *aes*, fare ; *ligo*, tie up ; *culex*, gnat ; *rana*, frog ; *palustris*, of the marshes ; *proluo*, steep ; *vappa*, dregs of wine ; *certatim*, in rivalry ; *pasco*, graze ; *retinaculum*, rope ; *sterto*, snore ; *supinus*, on one's back ; *linter*, boat ; *cerebrosus*, hot-headed ; *lumbus*, buttock ; *salignus*, of willow ; *fustis*, cudgel ; *dolo*, belabour.

Hor. Sat. I. 5.

Family affairs. (Cicero's brother Quintus was married to Atticus's sister Pomponia)

85. Nunc venio ad transversum illum extremae epistulae tuae versiculum, in quo me admones de sorore. Quae res se sic habet. Ut veni in Arpinas, cum ad me frater venisset, in primis nobis sermo isque multus de te fuit. Ex quo ego veni ad ea, quae fueramus ego et tu inter nos de sorore in Tusculano locuti. Nihil tam mite, nihil tam placatum, quam tum meus frater erat in sororem tuam, ut, etiam si qua fuerat ex ratione sumptus offensio, non appareret. Ille sic dies. Postridie ex Arpinati profecti sumus. Prandimus in Arcano. Nosti hunc fundum. Quo ut venimus, humanissime Quintus ' Pomponia,' inquit, ' tu invita mulieres, ego accivero viros.' Nihil potuit, mihi quidem ut visum est, dulcius idque cum verbis tum etiam animo ac vultu.

Transversus, crosswise ; *versiculus*, line ; *ratio sumptus*, expenditure, account ; *fundus*, estate ; *accio*, summon ; l. 6, *Tusculanum*, Cicero's Tusculan villa.

Contd.

86. At illa audientibus nobis ' Ego ipsa sum ' inquit, ' hic hospita,' id autem ex eo, ut opinor, quod antecesserat Statius, ut prandium nobis videret. Tum Quintus ' En ' inquit mihi ' haec ego patior cotidie.' Dices : ' Quid, quaeso, istuc erat ? ' Magnum ;

itaque me ipsum commoverat ; sic absurde et aspere
verbis vultuque responderat. Dissimulavi dolens.
Discubuimus omnes praeter illam, cui tamen Quintus
de mensa misit. Illa reiecit. Quid multa ? Nihil
meo fratre lenius, nihil asperius tua sorore mihi visum
est ; et multa praetereo quae tum mihi maiori stomacho quam ipsi Quinto fuerunt. Ego inde Aquinum.
Quintus in Arcano remansit et Aquinum ad me
postridie mane venit mihique narravit nec secum
illam dormire voluisse et, cum discessura esset, fuisse
eius modi, qualem ego vidissem. Quid quaeris ? Vel
ipsi hoc dicas licet, humanitatem ei meo iudicio illo
die defuisse.

Discumbo, recline at table ; *stomacho sum*, vex, annoy ;
humanitas, courtesy ; *dissimulo*, I hide my feelings.

Cic. Att. V. 1.

Distressing news of the relations between Quintus and
Atticus

87. Magna mihi varietas voluntatis et dissimilitudo
opinionis ac iudicii Quinti fratris mei demonstrata
est ex litteris tuis. Qua ex re et molestia sum magna
adfectus, et admiratione, quidnam accidisset, quod
adferret Quinto fratri meo aut offensionem tam gravem
aut commutationem tantam voluntatis. Atque a me
iam ante intellegebatur subesse nescio quid opinionis
incommodae sauciumque esse eius animum et insedisse
quasdam odiosas suspiciones. Quibus ego mederi cum
cuperem non tantum intellegebam ei esse offensionis
quantum litterae tuae declararant et confidebam ac
mihi persuaseram fore ut omnia placarentur inter vos
sermone ac disputatione.

Medeor cure, put right ; *saucius*, wounded ; *animus*, feelings.

Contd.

Cicero hopes for a reconciliation between them

88. Nam quanta sit in Quinto fratre comitas, quanta

iucunditas, quam mollis animus et ad accipiendam
et ad deponendam offensionem nihil attinet me ad te
qui ea nosti scribere. Sed omnis in tua posita est
humanitate spes huius levandae molestiae. Nam si
ita statueris et irritabiles esse animos optimorum
saepe hominum et eosdem placabiles, facile haec
quem ad modum spero, mitigabuntur.

Comitas, affability ; *nihil attinet* (acc. and inf.), there is no point
in ; *levare molestiam*, remove a trouble.

Cic. Att. I. 17.

Human Progress

89.   Cum prorepserunt primis animalia terris,
mutum et turpe pecus, glandem atque cubilia propter
unguibus et pugnis, dein fustibus, atque ita porro
pugnabant armis, quae post fabricaverat usus,
donec verba, quibus voces sensusque notarent,
nominaque invenere ; dehinc absistere bello,
oppida coeperunt munire et ponere leges.

Pugnus, fist ; *fustis*, stave.

Hor. Sat. I. 3. 99.

There is an opportune moment for delivering a letter

90. Permagni interest quo tibi haec tempore epistula
reddita sit ; utrum cum sollicitudinis aliquid haberes,
an cum ab omni molestia vacuus esses. Itaque ei
praecepi quem ad te misi, ut tempus observaret
epistulae tibi reddendae. Nam quemadmodum,
coram qui ad nos intempestive adeunt, molesti
saepe sunt, sic epistulae offendunt non loco redditae.
Si autem, ut spero, nihil te perturbat, nihil impedit,
et ille cui mandavi satis scite et commode tempus ad
te cepit adeundi, confido me, quod velim, facile a te
impetraturum.

Intempestive, inopportunely ; *scite*, tactfully.

Cic. Fam. XI. 16.

Cicero's honest administration of Cilicia and Cyprus

91. Nos enim nostra sponte bene firmi vicimus omnes cum
abstinentia tum iustitia, facilitate, clementia. Cave
putes quicquam homines magis unquam esse miratos
quam nullum terruncium me obtinente provinciam
sumptus factum esse nec in rempublicam nec in
quemquam meorum praeterquam in L. Tullium
legatum. Praeter eum accepit nemo. Posteaquam
Taurum transgressus sum, mirifica fuit exspectatio
Asiae, quae sex mensibus imperii mei nullas meas
acceperat litteras, nunquam hospitem viderat. Ante
me civitates locupletes, ne in hiberna milites reciperent,
magnas pecunias dabant. Cyprii talenta Attica CC;
qua ex insula (verissime loquor) nummus nullus me
obtinente erogabitur. Ob haec beneficia nullos
honores mihi nisi verborum decerni sino, nec sum in
ulla re alia molestus civitatibus.

Facilitas, affability ; *terruncius,* farthing ; *sumptus,* expenditure ;
litteras . . . *hospitem,* i.e., no demands, no billeting ; *locuples,*
wealthy ; *hiberna,* winter quarters ; *erogo,* exact, requisition ;
molestus, burdensome.

Cic. Att. V. 21.

Cicero's despair at the situation

92. Res vides quo modo se habeant, orbem terrarum,
imperiis distributis, ardere bello ; urbem sine legibus,
sine iudiciis, sine iure, sine fide relictam direptioni et
incendiis. Itaque mihi venire in mentem nihil
potest, non modo quod sperem, sed vix iam quod
audeam optare.

Cic. Fam. IV. 1. 2.

Rule by persuasion, not by force

93. Id enim iubet ille Plato, quem ego vehementer
auctorem sequor, tantum contendere in re publica,
quantum probare tuis civibus possis, vim neque
parenti neque patriae afferre oportere. Atque hanc
quidem ille causam sibi ait non attingendae rei

publicae fuisse, quod cum offendisset populum
Atheniensem prope iam desipientem senectute, cum
persuaderi posse diffideret, cogi fas esse non
arbitraretur.

Offendo, find ; *desipio*, be foolish.

Cic. Fam. I. 9. 18.

Cicero disappointed

94. Non vereor ne quis audeat dicere ullius in Sicilia
quaesturam aut clariorem aut gratiorem fuisse. Vere
me hercule hoc dicam : sic tum existimabam, nihil
homines aliud Romae nisi de quaestura mea loqui.
Frumenti in summa caritate maximum numerum
miseram ; negotiatoribus comis, mercatoribus iustus,
mancipibus liberalis, sociis abstinens, omnibus eram
visus in omni officio diligentissimus ; excogitati
quidam erant a Siculis honores in me inauditi.
Itaque hac spe decedebam ut mihi populum Romanum ultro omnia delaturum putarem.

Quaestura, quaestorship ; *caritas*, dearness ; *numerus*, quantity ;
negotiator, business man ; *comis*, courteous ; *manceps*, contractor.

Contd.

95. At ego cum casu diebus eis itineris faciendi causa
decedens e provincia Puteolos forte venissem, cum
plurimi et lautissimi in eis locis solent esse, concidi
paene, iudices, cum ex me quidam quaesisset quo die
Roma exissem et num quidnam esset novi. Cui cum
respondissem me e provincia decedere : ' Etiam mehercule,' inquit ' ut opinor, ex Africa.' Huic ego iam
stomachans fastidiose : ' Immo ex Sicilia,' inquam.
Tum quidam, quasi qui omnia sciret : 'Quid ? tu
nescis,' inquit, ' hunc quaestorem Syracusis fuisse ? '
Quid multa ? destiti stomachari et me unum ex eis
feci qui ad aquas venissent.

Lautus, distinguished ; *concido*, fall down, collapse ; *stomachor*,
be angry ; *fastidiose*, in disgust ; *ad aquas*, to take the waters.

Cic. Planc. 26. 64.

Much is demanded from a schoolmaster, for little
remuneration

96. Rara tamen merces quae cognitione tribuni
    non egeat.   Sed vos saevas imponite leges,
    ut praeceptori verborum regula constet,
    ut legat historias, auctores noverit omnes
    tamquam ungues digitosque suos, ut forte rogatus
    dicat . . .
    nutricem Anchisae, quot Acestes vixerit annis,
    quot Siculi Phrygibus vini donaverit urnas ;
    exigite ut mores teneros ceu pollice ducat,
    ut si quis cera vultum facit ; exigite ut sit
    et pater ipsius coetus, ne turpia ludant.

Cognitio, trial in court, i.e., the schoolmaster must sue to get his
fees ;   *regula*, correctness, i.e., be faultless in his grammar ;   *unguis*,
finger nail ;   *pollex*, thumb ;   *duco*, mould ;   *cera*, wax ;   *coetus*,
gathering company, i.e., join them in their sport.

Juv. Sat. VII. 228.

The blue-stocking as grammarian

97.   . . . Odi
    hanc ego quae repetit volvitque Palaemonis artem
    servata semper lege et ratione loquendi
    ignotosque mihi tenet antiquaria versus
    nec curanda viris.   Opicae castiget amicae
    verba ; soloecismum liceat fecisse marito.

Palaemon, an ancient grammarian ;   *repeto*, con over ;   *volvo*,
turn pages of ;   *teneo*, remember ;   *opicus*, uneducated ;   *amica*,
lady friend ;   *soloecismus*, blunder, howler.

Juv. Sat. VI. 451.

The blue-stocking as literary critic

98. Illa tamen gravior, quae cum discumbere coepit,
    laudat Vergilium, periturae ignoscit Elissae,
    committit vates et comparat, inde Maronem
    atque alia parte in trutina suspendit Homerum.

Cedunt grammatici, vincuntur rhetores, omnis
turba tacet, nec causidicus nec praeco loquetur
altera nec mulier ; verborum tanta cadit vis.

Elissa, Dido ; *committo*, pair off ; *trutina*, scale ; *causidicus*,
lawyer ; *praeco*, auctioneer.

Juv. Sat. VI. 434.

Cicero's reply to Cato's accusation that Murena was a dancer

99. Non debes, M. Cato, adripere maledictum ex
trivio aut ex scurrarum aliquo convicio neque temere
consulem populi Romani saltatorem vocare, sed
circumspicere quibus praeterea vitiis adfectum esse
necesse sit eum cui vere istud obici possit. Nemo
enim fere saltat sobrius, nisi forte insanit, neque in
solitudine neque in convivio moderato atque honesto.
Tempestivi convivi, amoeni loci, multarum deliciarum
comes est extrema saltatio.

Trivium, crossway ; *scurra*, buffoon ; *convicium*, insulting
language ; *temere*, rashly ; *tempestivus*, early (to dine early was a
sign of debauchery).

Cic. Mur. 6. 13.

Cicero's first public appearance

100. Credo, cum vidisset qui homines in hisce subselliis
sederent, quaesisse num ille aut ille defensurus
esset ; de me ne suspicatum quidem esse, quod
antea causam publicam nullam dixerim. Postea
quam invenit neminem eorum qui possunt et solent,
ita neglegens esse coepit ut, cum in mentem veniret
ei, resideret, deinde spatiaretur, nonnunquam etiam
puerum vocaret, credo, cui cenam imperaret.
Peroravit aliquando, adsedit ; surrexi ego. Res-
pirare visus est quod non alius potius diceret.
Coepi dicere. Usque eo animadverti, iudices, eum
iocari atque alias res agere ante quam Chrysogonum

nominavi; quem simul atque attigi, statim homo
se erexit, mirari visus est. Intellexi quid eum
pepugisset. Iterum ac tertium nominavi. Postea
homines cursare ultro et citro non destiterunt,
credo, qui Chrysogono nuntiarent esse aliquem in
civitate qui contra voluntatem eius dicere auderet.

Subsellia, the bench on which counsel sat ; *ille aut ille*, so and
so ; *spatior*, walk about ; *peroro*, finish a speech ; *respiro*, breathe
again, recover ; *alias res ago*, pay no attention to the matter in
hand ; *pungo*, prick, touch on the raw ; *ultro et citro*, to and fro ;
Chrysogonus, Sulla's agent in the Proscriptions.

Cic. Rosc. Am. 21. 59.

Murder at Larinum

101. Quod haberet Oppianicus tres filios, idcirco se ab eis
nuptiis abhorrere Sassia respondit. Itaque Oppianicus arcessit subito sine causa puerum Teano, quod
facere nisi ludis publicis aut festis diebus antea non
solebat. Mater misera nihil mali suspicans mittit.
Ille se Tarentum proficisci cum simulasset, eo ipso
die puer, cum hora undecima in publico valens visus
esset, ante noctem mortuus et postridie ante quam
luceret combustus est. Atque hunc tantum maero-
rem matri prius hominum rumor quam quisquam ex
Oppianici familia nuntiavit. Illa cum uno tempore
audisset sibi non solum filium sed etiam exsequiarum
munus ereptum, Larinum exanimata venit, et ibi de
integro funus iam sepulto filio fecit. Dies nondum
decem intercesserunt cum ille alter filius infans
necatur. Itaque nubit Oppianico continuo Sassia
laetanti iam animo et spe optime confirmato, nec
mirum quae se non nuptialibus donis sed filiorum
funeribus esse delenitam videret.

Abhorreo with abl., shrink from ; *comburo*, cremate ; *exsequiarum munus*, the privilege of celebrating the funeral ; *exanimata*,
out of spirits, depressed ; *continuo*, immediately ; *delenitus*,
won over.

Cic. Clu. IX. 27.

Cicero discusses his son's allowance

102. Ciceroni velim hoc proponas, ita tamen, si tibi non
iniquum videbitur, ut sumptus huius peregrinationis
quibus, si Romae esset domumque conduceret, quod
facere cogitabat, facile contentus futurus erat,
accommodet ad mercedes Argileti et Aventini, et
cum ei proposueris, ipse velim reliqua moderere
quem ad modum ex iis mercedibus suppeditemus ei
quod opus sit.   Praestabo nec Bibulum nec Acidi-
num nec Messallam quos Athenis futuros audio,
maiores sumptus facturos quam quod ex eis mercedibus recipietur.   Itaque velim videas primum
conductores qui sint et quanti, deinde ut sint qui ad
diem solvant, et quid viatici, quid instrumenti satis
sit.   Iumento certe Athenis nihil opus est.   Quibus
autem in via utatur domi sunt plura quam opus
erat.

Sumptus, expenses ;   *peregrinatio*, journey abroad ;   *conduco*,
hire, rent ;   *accommodo*, adjust, i.e., limit his expenditure to . . . ;
Argileti et Aventini, districts in Rome in which Cicero owned pro-
perty ;   *quanti*, genitive of price, ' how much they pay ' ;   *ad diem
solvo*, pay (rent) punctually.

Cic. Att. XII. 32.

*Gripus (a fisherman) who has found a wallet, advises his
master to keep it*

103. Gripus :   Quam   mox   licet   te   compellare
                    Daemones ?
     Daemones : Quid est negoti, Gripe ?
     Gripus :   De illo vidulo :
                    si sapias, sapias ; habeas quod di dant
                    boni.
     Daemones : Aequum videtur tibi, ut ego alienum
                    quod est meum esse dicam ?
     Gripus :   Quodne ego inveni in mari ?
     Daemones : Tanto illi melius optigit qui perdidit ;
                    tuum esse nihilo magis oportet vidulum.

Gripus :   Isto tu pauper es cum nimis sancte pius
            es.

Daemones : O Gripe, Gripe, in aetate hominum
            plurimae
            fiunt trasennae, ubi decipiuntur dolis.
            Atque edepol in eas plerumque esca
            imponitur :
            quam si quis avidus poscit escam
            avariter,
            decipitur in trasenna avaritia sua.
            Illi qui consulte, docte atque astute
            cavet,
            diutine uti bene licet partum bene.

Compellare, speak to ; *vidulus*, wallet ; *optingo*, belong to ;
sancte, scrupulously ; *trasenna*, trap ; *esca*, bait ; *diutine*, for a
long time ; *pario*, get.

Plaut. Rud. 1227.

Hannibal crosses a river

104. Duces Galli edocent inde milia quinque et viginti
ferme supra parvae insulae circumfusum amnem
latiore ubi dividebatur eoque minus alto alveo
transitum ostendere. Ibi raptim caesa materia
ratesque fabricatae in quibus equi virique et alia
onera traicerentur. Hispani sine ulla mole in utres
vestimentis coniectis ipsi caetris superpositis in-
cubantes flumen tranavere. Et alius exercitus
ratibus iunctis traiectus. Equorum pars magna
nantes loris a puppibus trahebantur, praeter eos
quos instratos frenatosque imposuerant in naves.

Alveus, channel ; *uter*, skin ; *moles*, fuss ; *caetra*, shield ;
lorum, rein ; *instratus*, saddled ; *frenatus*, bridled.

Livy XXI. 27. 4.

How the elephants were induced to cross

105. Elephantorum traiciendorum varia fuisse consilia
credo. Quidam congregatis ad ripam elephantis
tradunt ferocissimum ex eis inritatum ab rectore

suo, cum refugientem in aquam nantem sequeretur,
traxisse gregem, ut quemque timentem altitudinem
destitueret vadum, impetu ipso fluminis in alteram
ripam rapiente.   Ceterum magis constat ratibus
traiectos.

Rector, driver.

Contd.

106. Ratem unam ducentos longam pedes, quinquaginta
latam, a terra in amnem porrexerunt, quam, ne
secunda aqua deferretur, pluribus validis retinaculis
parte superiore ripae religatam pontis in modum
humo iniecta constraverunt, ut beluae audacter
velut per solum ingrederentur.   Altera ratis aeque
lata, longa pedes centum, ad traiciendum flumen
apta, huic copulata est ;   tres tum elephanti per
stabilem ratem tamquam viam praegredientibus
feminis acti ubi in minorem applicatam transgressi
sunt, extemplo resolutis quibus leviter adnexa erat
vinclis, ab actuariis aliquot navibus ad alteram ripam
pertrahitur.

Secunda aqua, down stream ;   *retinaculum*, rope ;   *religo*, tie ;
copulo, fasten ;   *femina*, female ;   *resolvo*, loosen ;   *adnecto*, join ;
actuarius, swift-sailing.

Contd.

107. Ita primis expositis alii deinde repetiti ac traiecti
sunt.   Nihil sane trepidabant, donec continenti velut
ponte agerentur ;   primus erat pavor cum soluta ab
ceteris rate in altum raperentur.   Ibi urgentes inter
se, cedentibus extremis ab aqua, trepidationis
aliquantum edebant.   Excidere etiam saevientes
quidam in flumen, sed pondere ipso stabiles, deiectis
rectoribus, quaerendis pedetemptim vadis in terram
evasere.

Donec, so long as ;   *cetera*, i.e., its moorings ;   *aliquantum*, a
considerable amount ;   *saevio*, rage ;   *pondus*, weight ;   *pedetemptim*,
step by step, cautiously.

Livy XXI. 28. 5.

A difficult journey

108. Pervenimus tandem et quidem incolumes, tametsi invitis et superis et inferis. O durum iter ! Quem ego Herculem, quem Ulyssem non contemnam ? Pugnabat Iuno semper poeticis viris infesta ; rursum Aeolum sollicitarat ; nec ventis modo in nos saeviebat, omnibus armis in nos dimicabat, frigore acerrimo, nive, grandine, pluvia, imbre, nebulis, omnibus denique iniuriis. Hisque nunc singulis, nunc universis nos oppugnabat.

Prima nocte post diutinam pluviam subitum atque acre obortum gelu viam asperrimam effecerat ; accessit nivis vis immodica ; deinde grando, tum et pluvia, quae simul atque terram arboremve contigit, protinus in glaciem concreta est. Vidisses arbores glacie vestitas adeoque pressas ut aliae summo cacumine imum solum contingerent, aliae medio trunco discissae starent, aliae funditus evulsae iacerent. Iurabant nobis e rusticis homines natu grandes se simile nihil unquam in vita vidisse antea.

Nix, snow ; *grando*, hail ; *nebula*, fog ; *diutinus*, prolonged ; *concresco*, congeal ; *glacies*, ice ; *cacumen*, top ; *funditus*, by the root.

Erasmus.   Letters.

Erasmus and the doctors

109. Ea nocte eruperat inscio me maximum ulcus, iamque dolor conquieverat. Postridie accerso chirurgum. Apponit malagmata. Iam novum ulcus accesserat in tergo, quod minister fecerat dum ob renum dolorem unguens me oleo, digito calloso durius fricat costam quamdam. Id post exulceratum est. Abiens chirurgus clam dicit famulo pestem esse ; Accerso medicos ; negant quicquam esse morbi ; rursum alios consulo, idem affirmant. Accerso Hebraeum ; is optabat tale corpus suum quale

meum esset. Cum non rediret uno atque altero die
chirurgus, accerso clam alterum magni nominis.
Inspicit; is vero, ut erat homo rusticior, 'Non
vererer' inquit, 'tecum cubare.' Idem sentiebat
Hebraeus. Iratus medicis Christo medico me com-
mendo. Stomachus intra triduum restitutus est.

Ulcus, ulcer ; *malagma*, dressing ; *chirurgus*, surgeon ; *callosus*,
horny ; *frico*, rub ; *costa*, rib ; *rusticus*, rough spoken ; *triduum*,
space of three days.

Erasmus. Letters.

The bird-fancier

110. Praecipua illi voluptas est spectare formas, ingenia
et affectus diversorum animantium. Proinde nullum
fere genus est avium quod domi non alat et si quod
aliud vulgo rarum. Ad hoc si quid exoticum aut
alioqui spectandum occurrit, avidissime mercari
solet ; atque his rebus undique domum habet
instructam, ut nusquam non sit obvium quod oculos
ingredientium demoretur ; ac sibi toties renovat
voluptatem quoties alios conspicit oblectari.

Mercor, buy ; *demoror*, arrest ; *oblecto*, delight, entertain.

Erasmus. Letters.

An Englishman cheats a German doctor

111. Hoc nuper cuidam accidit medico mihi amicitia
coniunctissimo. Civem quemdam Londoniensem,
virum nummatum et habitum adprime probum,
arte curaque sua liberarat non sine suo ipsius
periculo ; nam is pestilentissima febre tenebatur.
Et ut fit in periculis, medico montes aureos fuerat
pollicitus. Persuasit et iuveni et Germano. Adfuit ;
nihil non fecit ; ille revixit. Ubi verecunde de
pecunia medicus admonuerat, elusit nugator, negans
de mercede quicquam addubitandum, ceterum arcae
nummariae clavem penes uxorem esse : 'Et nosti'

inquit, ' mulierum ingenium. Nolo sentiat tantam
pecuniae summam a me datam.' Deinde post dies
aliquot hominem iam nitidum et nulla morbi vestigia
prae se ferentem appellavit et nondum datae
mercedis admonuit.

Nummatus, monied ; *adprime*, exceedingly ; *libero*, relieve ;
revivisco pf. revixi, get well ; *eludo*, put off ; *nugator*, trifler ;
clavis, key ; *nitidus*, in blooming health.

Contd.

112. Ille constanter asseverare pecuniam suo iusso ab
uxore numeratam esse. Medicus negare factum.
Hic vide quam ansam bonus ille vir arripuerit.
Cum forte medicus eum Latine numero singulari
appellasset, ibi velut atroci lacessitus iniuria,
' Vah ' inquit, ' homo Germanus tuissas Anglum ? '
Moxque velut impos animi prae iracundia caput
movens diraque minitans subduxit sese. Atque
ad eum modum honestus ille civis elusit, dignus
profecto quem sua pestis repetat. Nec tamen par
est ex hoc uno nebulone Britannos omnes aestimari.

Numero, pay ; *ansa*, handle ; *numero singulari*, ' in the singular,'
cf. tutoyer in French. Hence *tuissas* below = ' use the familiar second
person ' ; *impos animi*, out of one's senses ; *subduco*, withdraw ;
profecto, assuredly ; *par*, fair ; *nebulo*, rascal.

Erasmus. Letters.

Contented old age

113. Namque sub Oebaliae memini me turribus arcis,
qua niger umectat flaventia culta Galaesus,
Corycium vidisse senem, cui pauca relicti
iugera ruris erant, nec fertilis illa iuvencis
nec pecori opportuna seges nec commoda Baccho.
hic rarum tamen in dumis olus albaque circum
lilia verbenasque premens vescumque papaver
regum aequabat opes animis, seraque revertens
nocte domum dapibus mensas onerabat inemptis.
primus vere rosam atque autumno carpere poma,

et cum tristis hiems etiamnum frigore saxa
rumperet et glacie cursus frenaret aquarum,
ille comam mollis iam tondebat hyacinthi
aestatem increpitans seram Zephyrosque morantes.

Umecto, water ; *cultum*, tilled land, field ; *iugerum*, plot of
land ; *olus*, vegetables ; *vescus*, tiny ; *papaver*, poppy ; *inemptus*,
unbought ; *etiamnum*, still ; *tondeo*, shear, cut.

Vergil Geo. IV. 125.

*Pliny describes to Tacitus how his uncle perished in the
eruption of Vesuvius—A.D. 79*

114. Avunculus meus erat Miseni classemque imperio
praesens regebat. Nonum Kal. Septembres hora
fere septima mater mea indicat ei apparere nubem
inusitata et magnitudine et specie. Poscit soleas,
ascendit locum ex quo maxime miraculum illud
conspici poterat. Nubes (incertum procul intuenti-
bus ex quo monte, Vesuvium fuisse postea cognitum
est), oriebatur, cuius similitudinem et formam non
alia magis arbor quam pinus expresserit. Nam
longissimo velut trunco elata in altum quibusdam
ramis diffundebatur, credo, quia pondere suo victa
in latitudinem evanescebat, candida interdum,
interdum sordida et maculosa, prout terram cine-
remve sustulerat.

Solea, shoe ; *diffundor*, spread ; *maculosus*, speckled, blotchy ;
prout, according as.

Contd.

115. Magnum propiusque noscendum, ut eruditissimo
viro, visum. Iubet Liburnicam aptari ; mihi, si
venire una velim, facit copiam. Respondi studere
me malle, et forte ipse, quod scriberem, dederat.
Egrediebatur domo ; accipit codicillos Rectinae
imminenti periculo exterritae (nam villa eius sub-
iacebat, nec ulla nisi navibus fuga) ; ut se tanto
discrimini eriperet orabat. Vertit ille consilium ;

deducit quadriremes ; ascendit ipse non Rectinae
modo sed multis laturus auxilium. Properat illuc,
unde alii fugiunt, rectumque cursum, recta guber-
nacula in periculum tenet adeo solutus metu ut
omnes illius mali motus, omnes figuras, ut depre-
henderat oculis, dictaret enotaretque.

Liburnica, a Liburnian galley ; *codicilli*, note ; *gubernaculum*,
rudder ; *enoto*, note down.

Contd.

116. Iam navibus cinis inciderat, quo propius accederet,
calidior et densior, iam pumices etiam nigrique et
ambusti et fracti igne lapides, iam vadum subitum
ruinaque montis litora obstantia. Cunctatus paulum,
an retro flecteret, mox gubernatori ut ita faceret
monenti ' fortes ' inquit, ' fortuna iuvat. Pomponi-
anum pete.' Stabiis erat diremptus sinu medio ;
ibi quamquam nondum periculo appropinquante,
conspicuo tamen et, cum cresceret, proximo sarcinas
contulerat in naves certus fugae, si contrarius
ventus resedisset ; quo tunc avunculus meus
secundissimo invectus complectitur trepidantem,
consolatur, hortatur, utque timorem eius sua
securitate leniret, deferri se in balineum iubet ;
lotus accubat, cenat, aut hilaris aut, quod aeque
magnum est, similis hilari.

Pumex, pumice stone ; *amburo*, scorch ; *diremptus s.m.*, i.e.,
half the bay off ; *sarcina*, baggage ; *balineum*, bath ; *lotus*, after
bathing.

Contd.

117. Interim e Vesuvio monte plurimis locis latissimae
flammae atque incendia relucebant, quorum fulgor
et claritas tenebris noctis excitabatur. Ille agrestium
trepidatione ignes relictos desertasque villas per
solitudinem ardere in remedium formidinis dictitabat.
Tum se quieti dedit et quievit verissimo quidem

somno. Nam meatus animae, qui illi propter
amplitudinem corporis gravior et sonantior erat, ab
iis qui limini obversabantur audiebatur. Sed area,
ex qua diaeta adibatur, ita iam cinere mixtisque
pumicibus oppleta surrexerat ut, si longior in
cubiculo esset mora, exitus negaretur. Excitatus pro-
cedit seque Pomponiano ceterisque qui pervigilarant
reddit. In commune consultant, intra tecta sub-
sistant an in aperto vagentur. Nam crebris vastisque
tremoribus tecta nutabant et quasi emota sedibus
suis nunc huc, nunc illuc abire aut referri videbantur.
Sub divo rursus, quamquam levium exesorumque,
pumicum casus metuebatur. Cervicalia capitibus
imposita linteis constringunt ; id munimentum
adversus incidentia fuit.

In remedium, to allay ; *meatus animae*, breathing ; *area*, court ;
obversor with dat., be in attendance on ; *diaeta*, room ; *nuto*, sway ;
sub divo, in the open air ; *exesus*, hollow ; *cervical*, pillow ; *linteum*,
strip of linen.

Contd.

118. Iam dies alibi, illic nox omnibus noctibus nigrior
densiorque. Placuit egredi in litus et e proximo
aspicere, ecquid iam mare admitteret ; quod adhuc
vastum et adversum permanebat. Ibi super abiec-
tum linteum recubans semel atque iterum frigidam
poposcit hausitque. Deinde flammae flammarumque
praenuntius odor sulfuris alios in fugam vertunt,
excitant illum. Innixus servulis duobus assurrexit
et statim concidit, ut ego colligo, crassiore caligine
spiritu obstructo. Ubi dies redditus, corpus
inventum est integrum, illaesum opertumque, ut
fuerat indutus ; habitus corporis quiescenti quam
defuncto similior.

Linteum, sail ; *frigida*, cold water ; *colligo*, gather ; *caligo*,
fog ; *illaesus*, unharmed ; *operio*, cover.

Pliny VI. 16.

The part played by Pliny himself

119. Interim Miseni ego et mater. Profecto avunculo ipse reliquum tempus studiis impendi ; mox balineum, cena, somnus inquietus et brevis. Praecesserat per multos dies tremor terrae minus formidulosus, quia Campaniae solitus ; illa vero nocte ita invaluit ut non moveri omnia, sed everti crederentur. Inrumpit in cubiculum meum mater ; surgebam, invicem, si quiesceret, excitaturus. Residimus in area domus, quae mare a tectis modico spatio dividebat. Dubito constantiam vocare an imprudentiam debeam ; agebam enim duodevicesimum annum. Posco librum Titi Livii et quasi per otium lego, atque etiam, ut coeperam, excerpo. Ecce amicus avunculi, qui nuper ad eum ex Hispania venerat, ut me et matrem sedentes, me vero etiam legentem videt, illius patientiam, securitatem meam corripit. Nihil segnius ego intentus in librum.

Invalesco, increase ; *everto*, overthrow ; *invicem*, in turn ; *resido*, sit down ; *excerpo*, make extracts ; *securitas*, unconcern ; *corripio*, chide ; *nihil segnius*, not less earnestly.

Contd.

120. Iam hora diei prima, et adhuc dubius et quasi languidus dies. Iam quassatis circumiacentibus tectis, quamquam in aperto loco, angusto tamen, magnus et certus ruinae metus. Tum demum excedere oppido visum. Sequitur vulgus attonitum, alienumque consilium suo praefert ingentique agmine abeuntes premit et impellit. Egressi tecta consistimus. Multa ibi miranda, multas forminides patimur. Nam vehicula, quae produci iusseramus, quamquam in planissimo campo, in contrarias partes agebantur ac ne lapidibus quidem fulta in eodem vestigio quiescebant. Praeterea mare in se resorberi et tremore terrae quasi repelli videbamus. Ab altero latere nubes atra et horrenda ignei spiritus

tortis vibratisque discursibus rupta in longas
flammarum figuras dehiscebat; fulgoribus illae et
similes et maiores erant.

Quasso, shatter; *planus*, level; *contrarius*, opposite; *fulcio*,
prop; *resorbeo*, suck back; *spiritus*, vapour; *torqueo*, twist;
vibror, quiver; *discursus*, flicker; *dehisco*, part; *fulgor*, flash of
lightning.

Contd.

121. Nec multo post illa nubes descendere in terras,
operire maria; cinxerat Capreas et absconderat,
Miseni quod procurrit, abstulerat. Tum mater
orare, iubere, hortari, quoquo modo fugerem;
posse enim iuvenem, se et annis et corpore gravem
bene morituram, si mihi causa mortis non fuisset.
Ego contra salvum me nisi una non futurum;
deinde manum eius amplexus addere gradum cogo;
paret aegre, incusatque se quod me moretur. Iam
cinis; adhuc tamen rarus. Respicio; densa caligo
terris imminebat, quae nos torrentis modo infusa
terrae sequebatur. 'Deflectamus' inquam 'dum
videmus, ne in via strati comitantium turba in
tenebris obteramur.'

Abscondo, hide; *quoquo modo*, in whatever way (I could); *addo
gradum*, i.e., step out.

Contd.

122. Vix consederamus, et nox, non quasi illunis aut
nubila, sed qualis in locis clausis lumine extincto.
Audires ululatus feminarum, infantium quiritatus,
clamores virorum; alii liberos, alii coniuges, vocibus
requirebant; hi suum casum, illi suorum misere-
bantur; erant qui metu mortis mortem precarentur.
Multi ad deos manus tollere: plures nusquam iam
deos ullos, aeternamque illam et novissimam noctem
mundo interpretabantur.

Illunis, moonless; *ululatus*, scream; *quiritatus*, wailing;
novissimus, last.

Concluded

123. Paulum reluxit ; quod non dies nobis, sed advent-
antis ignis indicium videbatur. Et ignis quidem
longius substitit ; tenebrae rursus, cinis rursus
multus et gravis. Hunc identidem adsurgentes
excutiebamus : operti alioqui atque etiam oblisi
pondere essemus. Tandem illa caligo tenuata quasi
in fumum nebulamve decessit ; mox dies verus, sol
etiam effulsit, luridus tamen, qualis esse cum deficit
solet. Occursabant trepidantibus adhuc oculis
mutata omnia altoque cinere tamquam nive obducta.
Regressi Misenum, curatis utcumque corporibus,
suspensam dubiamque noctem spe ac metu exegimus.
Metus praevalebat ; nam et tremor terrae per-
severabat, et plerique lymphati terrificis vaticina-
tionibus et sua et aliena mala ludificabantur. Nobis
tamen ne tunc quidem, quamquam et expertis
periculum et exspectantibus, abeundi consilium,
donec de avunculo nuntius.

Relucesco, become light again ; *subsisto*, come to a standstill ;
oblido, crush ; *tenuo*, thin ; *deficio*, be eclipsed ; *occurso*, meet ;
obduco, cover up ; *utcumque*, as best we could ; *lympho*, madden ;
vaticinatio, prophecy ; *ludificor*, make sport of.

Pliny VI. 20.

Death of Archimedes in the capture of Syracuse

124. Urbs Syracusae diripienda militi data est. Cum
multa irae, multa avaritiae foeda exempla ederentur,
Archimeden memoriae traditum est in tanto tumultu,
quantum captae urbis in viis discursus diripientium
militum ciere poterat, intentum formis quas in
pulvere descripserat ab ignaro milite quis esset
interfectum ; aegre id Marcellum tulisse sepultur-
aeque curam habitam, et propinquis etiam inquisitis
honori praesidioque nomen ac memoriam eius fuisse.

Edo, produce ; *inquiro*, search for.

Livy XXV. 31.

Cicero discovers Archimedes' tomb

125. Archimedis ego sepulchrum ignoratum ab Syracusanis, cum esse omnino negarent, saeptum undique et vestitum vepribus et dumetis indagavi ; tenebam enim quosdam senariolos, quos in eius monumento esse inscriptos acceperam, qui declarabant in summo sepulchro sphaeram esse positam cum cylindro. Ego autem, cum omnia collustrarem oculis—est enim ad portas Acragantinas magna frequentia sepulcrorum—animum adverti columellam non multum e dumis eminentem, in qua inerat sphaerae figura et cylindri. Atque ego statim Syracusanis— erant autem principes mecum—dixi me illud ipsum arbitrari esse quod quaererem. Immissi cum falcibus famuli purgarunt et aperuerunt locum : quo cum patefactus esset aditus, ad adversam basim accessimus ; apparebat epigramma exesis posterioribus partibus versiculorum dimidiatis fere. Ita nobilissima Graeciae civitas sui civis unius acutissimi monumentum ignorasset, nisi ab homine Arpinate didicisset.

Saepio, fence ; *vepres*, thorn ; *dumetum*, brushwood; *indago*, hunt for ; *senariolus*, verse ; *collustro*, survey ; *columella*, little pillar ; *falx*, billhook ; *purgo*, clear ; *exedo*, eat away ; *dimidio*, halve.

Cic. Tusc. Disp. V. 64.

Cicero's disapproval of the wild beast show

126. Reliquae sunt venationes binae per dies quinque. Magnificae, nemo negat. Sed quae potest homini esse polito delectatio, cum aut homo imbecillus a valentissima bestia laniatur, aut praeclara bestia venabulo transverberatur ? Quae tamen, si videnda sunt, saepe vidisti ; neque nos, qui haec spectavimus, quidquam novi vidimus. Extremus elephantorum dies fuit ; in quo admiratio magna vulgi atque turbae, delectatio nulla exstitit. Quin etiam

misericordia quaedam consecuta est atque opinio
eiusmodi, esse quamdam illi beluae cum genere
humano societatem.

Lanio, tear to pieces ; *venabulum*, hunting spear ; *belua*, beast,
monster.

Cic. Fam. VII. 1. 3.

Elephants

127. Ad reliqua transeamus animalia, et primum terre-
stria. Maximum est elephas, proximumque humanis
sensibus. Quippe intellectus est illis sermonis patrii,
et imperiorum oboedientia, officiorumque, quae didicere, memoria : amoris et gloriae voluptas : immo
vero (quae etiam in homine rara), probitas prudentia
aequitas. Auctores sunt in Mauretaniae saltibus ad
quemdam amnem, cui nomen est Amilo, nitescente
luna nova, greges eorum descendere : ibique se
purificantes solemniter aqua circumspergi, itaque
salutato sidere in silvas reverti, vitulorum fatigatos
prae se ferentes.

Auctores sunt, some people state ; *vitulus*, calf.

Pliny N.H. 8. 8.

Summum ius summa iniuria

128. Cleomenes qui cum triginta dierum essent cum
Argivis indutiae factae, noctu populabatur agros,
dierum dixit esse pactas non noctium indutias.

Q. Fabius Labeo, arbiter Nolanis et Neapolitanis
de finibus a senatu datus, cum ad locum venisset,
cum utrisque separatim locutus est ne cupide quid
agerent atque ut regredi quam progredi mallent.
Id cum utrique fecissent, aliquantum agri in medio
relictum est. Itaque illorum fines sicut ipsi dixerant
terminavit ; in medio quod relictum erat populo
Romano adiudicavit. Decipere hoc quidem est, non
iudicare.

Indutiae, truce ; *termino*, mark the boundary of, delimit.

Cic. de Off. I. 33.

Regulus

129. Si quid singuli temporibus adducti hosti promiserunt,
est in eo ipso fides conservanda, ut primo Punico
bello Regulus captus a Poenis, cum de captivis
commutandis Romam missus esset iurassetque se
rediturum, primum ut venit captivos reddendos in
senatu non censuit, deinde cum retineretur a propinquis et ab amicis, ad supplicium redire maluit quam
fidem hosti datam fallere.

Cic. de Off. I. 39.

Horace on the above incident

130.   Fertur pudicae coniugis osculum
              parvosque natos, ut capitis minor,
                ab se removisse et virilem
                  torvus humi posuisse vultum,

              donec labantes consilio patres
              firmaret auctor non alias dato,
                interque maerentes amicos
                  egregius properaret exsul.

              Atqui sciebat quae sibi barbarus
              tortor pararet ; non aliter tamen
                dimovit obstantes propinquos
                  et populum reditus morantem

              quam si clientum longa negotia
              diiudicata lite relinqueret,
                tendens Venafranos in agros
                  aut Lacedaemonium Tarentum.

Capitis minor, condemned to death or loss of citizenship ; *torvus*,
stern ; *tortor*, torturer ; *alias*, on any other occasion ; *lis*, dispute.

Hor. C. III. 5. 41.

Mistrust disapproved but justified

131. Alexander Pheraeus cum uxorem Theben admodum
diligeret, tamen ad eam ex epulis in cubiculum

veniens barbarum destricto gladio iubebat anteire
praemittebatque de stipatoribus suis qui scru-
tarentur arculas muliebres et ne quod in vestimentis
telum occultaretur exquirerent. O miserum qui
fideliorem barbarum putaret quam coniugem ! Neque
eum fefellit ; ab ea est enim interfectus.

Stipatores, retinue ; *scrutor*, examine ; *arcula*, box.

Cic. de Off. II. 25.

Peace or War

132. Consul, contione advocata, 'Ignorare' inquit ' mihi
videmini, Quirites, non utrum bellum an pacem
habeatis, sed utrum in Macedoniam legiones trans-
portetis, an hostes in Italiam accipiatis. Hoc
quantum intersit, si numquam alias, Punico proximo certe bello experti estis. Quis enim dubitat
quin, si Saguntinis obsessis fidemque nostram
implorantibus impigre tulissemus opem, totum in
Hispaniam aversuri bellum fuerimus, quod cunctando
cum summa clade nostra in Italiam accepimus ? '

Experior, experience.

Livy XXXI. 7.

Blind man's Buff in the Battlefield

133. Philippus consternata omnia circa pavoremque
ingentem hominum cernebat : sed parum gnarus
quam partem petiisset consul, alam equitum ad
explorandum quonam hostes iter intendissent misit.
Idem error apud consulem erat ; movisse ex hibernis
regem sciebat, quam regionem petiisset ignorans.
Is quoque speculatum miserat equites. Hae duae
alae ex diverso, cum diu incertis itineribus vagatae
essent, tandem in unum iter convenerunt. Neutros
fefellit, ut fremitus procul hominum equorumque
exauditus est, hostes approquinquare. Itaque
priusquam in conspectum venirent, equos armaque

expedierant. Nec mora, ubi primum hostem videre,
concurrendi facta est. Forte et numero et virtute
haud impares aequis viribus per aliquot horas
pugnarunt. Fatigatio ipsorum equorumque incerta
victoria diremit proelium. Neque eo magis explorati
quicquam in qua regione castra hostium essent, aut
illi ad regem aut hi ad consulem rettulerunt. Per
transfugas cognitum est, quos levitas ingeniorum
ad cognoscendas hostium res in omnibus bellis
praebet.

Parum gnarus, not certain enough ; *vagor*, wander about ;
explorati quicquam, any definite information.

Livy XXXI. 33.

Rumour

134. Extemplo Lybiae magnas it Fama per urbes,
Fama, malum qua non aliud velocius ullum :
mobilitate viget, viresque acquirit eundo,
parva metu primo, mox sese attollit in auras
ingrediturque solo et caput inter nubila condit,
monstrum horrendum ingens, cui quot sunt corpore
    plumae
tot vigiles oculi subter (mirabile dictu)
tot linguae, totidem ora sonant, tot subrigit aures.
Nocte volat caeli medio terraeque per umbram
stridens, nec dulci declinat lumina somno ;
luce sedet custos aut summi culmine tecti
turribus aut altis, et magnas territat urbes,
tam ficti pravique tenax quam nuntia veri.

Pluma, feather, plume ; *subrigo*, prick up ; *declino*, close.

Verg. Aen. IV. 173.

Gyges' Ring

135. Satis nobis persuasum esse debet, si omnes deos
hominesque celare possimus, nihil tamen avare,
nihil iniuste esse faciendum. Hinc ille Gyges

inducitur a Platone, qui, cum terra discessisset
magnis quibusdam imbribus, descendit in illum
hiatum aeneumque equum animadvertit, cuius in
lateribus fores essent ; quibus apertis corpus
hominis mortui vidit magnitudine inusitata anulum-
que aureum in digito ; quem ut detraxit, ipse induit
(erat autem regius pastor), tum in concilium se
pastorum recepit. Ibi cum palam eius anuli ad
palmam converterat, a nullo videbatur, ipse autem
omnia videbat ; idem rursus videbatur cum in
locum anulum inverterat. Itaque hac opportunitate
anuli usus regina adiutrice regem dominum interemit,
sustulit quos obstare arbitrabatur, nec in his eum
facinoribus quisquam potuit videre. Sic repente
anuli beneficio rex exortus est Lydiae.

Hunc igitur ipsum anulum si habeat sapiens,
nihilo plus sibi licere putet peccare quam si non
haberet ; honesta enim bonis viris, non occulta
quaeruntur.

Induco, introduce ; *hiatus,* yawning gap ; *aeneus,* brazen ;
foris, door ; *anulus,* ring ; *pala,* bezel ; *adiutrix,* helping ; *sustulit,* remove, put out of the way.

Cic. de Off. III. 38.

Canius is hoodwinked into buying an estate

136. C. Canius, eques Romanus, cum se Syracusas otiandi
non negotiandi causa contulisset, dictitabat se
hortulos aliquos emere velle, quo invitare amicos
posset. Quod cum percrebruisset, Pythius quidam
ad cenam honinem in hortos suos invitavit in
posterum diem. Cum ille promisisset, tum Pythius,
qui esset, ut argentarius, apud omnes gratiosus,
piscatores ad se convocavit et ab iis petivit ut ante
suos hortulos postridie piscarentur, dixitque quid
eos facere vellet. Ad cenam tempori venit Canius ;
optime a Pythio apparatum convivium, cumbarum

ante oculos multitudo ; pro se quisque quod ceperat
afferebat, ante pedes Pythi pisces adiciebantur.

Negotior, do business ; *percrebresco*, be spread abroad ; *argentarius*, banker ; *cumba*, a fishing boat.

Contd.

137. Tum Canius 'Quaeso' inquit, 'quid est hoc,
Pythi ? tantumne piscium ? tantumne cumbarum ? '

Et ille 'Quid mirum ? ' inquit, 'hoc loco est
Syracusis quidquid est piscium.'

Incensus Canius cupiditate contendit a Pythio ut
venderet. Impetrat ; emit homo cupidus et locuples
tanti quanti Pythius voluit. Invitat Canius postridie
familiares suos, venit ipse mature ; scalmum nullum
vidit ; quaerit ex proximo vicino num feriae quaedam
piscatorum essent, quod eos nullos videret.

' Nullae, quod sciam,' inquit, ' sed hic piscari nulli
solent ; itaque heri mirabar, quid accidisset.'

Stomachari Canius ; sed quid faceret ?

Scalmus, rowlock ; *feriae*, holiday ; *stomachor*, be annoyed.

Cic. de Off. III. 58.

*A shepherd leads the Roman army by a secret path to surprise
the enemy*

138. Cum in hoc statu res esset, pastor quidam a Charopo
principe Epirotarum missus deducitur ad consulem.
Is se in eo saltu, qui regiis tum teneretur castris,
armentum pascere solitum ait omnes montium
eorum anfractus callesque nosse. Si secum aliquos
consul mittere velit, se non iniquo nec perdifficili
aditu super caput hostium eos deducturum. Haec
ubi consul audivit, percunctatum ad Charopum
mittit, satisne credendum super tanta re agresti
censeret. Cum Charopus renuntiavisset ut crederet,
quattuor milia lecta peditum et trecentos equites
tribuno militum tradidit. Equites ducere iubet

quoad loca patiantur ; ubi ad invia equiti ventum
sit, in planitie aliqua locari equitatum ; pedites,
qua dux monstraret viam, ire ; ubi, ut polliceatur,
super caput hostium perventum sit, fumo dare
signum, nec antea clamorem tollere quam ab se
signo accepto pugnam coeptam arbitrari posset.
Die tertio verticem quem petierant Romani cepisse
ac tenere se fumo significaverunt.

Armentum, flock ; *callis*, mountain path ; *fumus*, smoke.

Livy XXXII. 11.

Aeneas sees Hector in a dream

139.   Tempus erat quo prima quies mortalibus aegris
incipit et dono divum gratissima serpit.
In somnis ecce ante oculos maestissimus Hector
visus adesse mihi largosque effundere fletus,
raptatus bigis ut quondam aterque cruento
pulvere perque pedes traiectus lora tumentes.
Hei mihi qualis erat ! quantum mutatus ab illo
Hectore qui redit exuvias indutus Achillis
vel Danaum Phrygios iaculatus puppibus ignes !
squalentem barbam et concretos sanguine crines
vulneraque illa gerens, quae circum plurima muros
accepit patrios.

Serpo, creep on ; *bigae*, chariot ; *ater*, black ; *lorum*, thong ;
exuviae, spoils ; *iaculor*, fling ; *squalens*, unkempt.

Verg. Aen. II. 268.

*Philoxenus excuses, Lydus laments, the licence allowed
nowadays to youth*

140. PHILOXENUS : Heia, Lyde, leniter qui saeviunt
                        sapiunt magis.

                    minus mirandum est, illaec aetas si
                        quid illorum facit,
                    quam si non faciat. Feci ego istaec
                        itidem in adulescentia.

Paulisper, Lyde, est libido homini suo
    animo obsequi ;
. . . morem geras ;
dum caveatur, praeter aequum ne
    quid delinquat, sine.

LYDUS :   Non sino, neque equidem illum me
    vivo corrumpi sinam.
sed tu qui pro tam corrupto dicis
    causam filio—
eademne erat haec disciplina tibi, cum
    tu adulescens eras ?
nego tibi hoc annis viginti fuisse
    primis copiae,
digitum longe a paedagogo pedem ut
    efferres aedibus.
ante solem exorientem nisi in palaes-
    tram veneras,
gymnasi praefecto haud mediocris
    poenas penderes.
ibi cursu luctando hasta disco pugilatu
    pila
saliendo sese exercebant ; . . .
ibi suam aetatem extendebant, non in
    latebrosis locis.
inde de hippodromo et palaestra ubi
    revenisses domum,
cincticulo praecinctus in sella apud
    magistrum adsideres
cum libro : cum legeres, si unam
    peccavisses syllabam,
fieret corium tam maculosum quam
    est nutricis pallium.

Itidem, just the same ; *suo animo obsequi*, have one's fling ;
delinquere, get into mischief ; *corrumpi*, go to the bad ; *digitum
longe*, a finger's breadth ; *pendere*, pay ; *luctari*, wrestle ; *late-
brosa loca*, ' shady ' places ; *cincticulus*, little girdle ; *corium*
skin ; *maculosus*, spotted, scored with weals.

Contd.

141. PHILOXENUS : Alii, Lyde, nunc sunt mores.
     LYDUS :   Id equidem ego certo scio
          nam olim populi prius honorem
               capiebat suffragio,
          quam magistro desinebat esse dicto
               oboediens ;
          at nunc, prius quam septuennis est, si
               attingas eum manu,
          extemplo puer paedagogo tabula dis-
               rumpit caput.
          cum patrem adeas postulatum, puero
               sic dicit pater :
          'Noster esto, dum te poteris defensare
               iniuria.'
          provocatur paedagogus : 'Eho senex
               minimi preti,
          ne attigas puerum istac causa, quando
               fecit strenue.'
          . . . Hocine hic pacto potest
          inhibere imperium magister, si ipsus
               primus vapulet ?

Suffragium, vote ; *septuennis*, seven years old ; *tabula*, slate ;
postulo, complain ; *provoco*, challenge, summons ; *imperium inhibeo*,
exert authority ; *ipsus*, earlier form of *ipse*.

                                        Plaut. Bacch. III. 2.

One man in his life plays many parts

142. Reddere qui voces iam scit puer et pede certo
     signat humum, gestit paribus colludere, et iram
     colligit et ponit temere et mutatur in horas.
     Imberbis iuvenis, tandem custode remoto,
     gaudet equis canibusque et aprici gramine Campi,
     cereus in vitium flecti, monitoribus asper,
     utilium tardus provisor, prodigus aeris,
     sublimis cupidusque et amata relinquere pernix.

Conversis studiis aetas animusque virilis
quaerit opes et amicitias, inservit honori,
commisisse cavet quod mox mutare laboret.
Multa senem circumveniunt incommoda, vel quod
quaerit et inventis miser abstinet ac timet uti,
vel quod res omnes timide gelideque ministrat,
dilator, spe longus, iners avidusque futuri,
difficilis, querulus, laudator temporis acti
se puero, castigator censorque minorum.
Multa ferunt anni venientes commoda secum,
multa recedentes adimunt.

Imberbis, unbearded ; *apricus*, sunny ; *cereus*, supple as wax ;
sublimis, excited ; *pernix*, swift ; *inservio*, be a slave to ; *dilator*,
procrastinator.

Hor. A.P. 158.

PRINTED IN GREAT BRITAIN BY THE WHITEFRIARS PRESS LTD.
LONDON AND TONBRIDGE